D1264064

100 TRUCS & ASTUCES POUR SURVIVRE À L'ARRIVÉE DE VOTRE PREMIER *enfant*

{Conseils de parents récidivistes}

Kerry Colburn
Rob Sorensen

100 TRUCS & ASTUCES POUR SURVIVRE À L'ARRIVÉE DE VOTRE PREMIER

{Conseils de parents récidivistes}

MARABOUT

*À nos parents
et à nos filles*

***Publié pour la première fois sous le titre
How to have your second child first par
Chronicle Books LLC***
*680 Second Street
San Francisco, California 94107
www.chroniclebooks.com*

GRAPHISME
*Lesley Feldman
Feldmerica Industries*

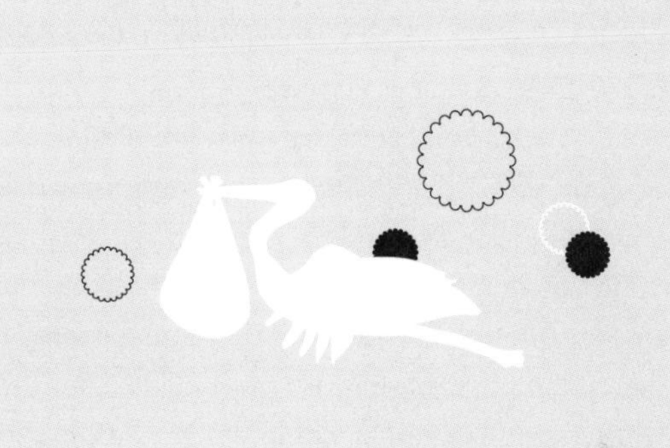

[INTRODUCTION]

Avoir un bébé change tout. Une porte s'ouvre sur des émotions, des priorités, des défis et des réussites d'un nouveau genre, et sur des mystères absolus. Vous commencez une nouvelle vie, après tout, et vous vous sentirez sans doute dépaysé au cours des premiers mois. Après avoir assez bien maîtrisé le fonctionnement du monde pendant des années, vous risquez de vous sentir soudainement un peu perdu, dépassé ou peu sûr de vous en tant que parent novice. Vous vous poserez probablement des questions sur toutes les facettes de la vie en compagnie de cette nouvelle petite personne : « Que dois-je acheter pour mon bébé ? Qui peut nous rendre visite et quel est le bon moment ? Quand pourrai-je faire un voyage en avion avec ma fille ? Combien de temps puis-je laisser mon fils pleurer ? Comment savoir ce qu'il est bon de faire ? » ; et vous remettrez en question la décision que vous aurez prise. Et vous entendrez perpétuellement une kyrielle d'avis contradictoires, y compris de la part de personnes à qui vous n'avez rien demandé. Alors que vos livres en pagaille, votre maman et même des étrangers dans l'ascenseur vous auront donné des conseils différents sur un sujet précis, qui aura donné la bonne réponse ?

Détendez-vous. Tout parent expérimenté vous dira que la première année est emplie de découvertes, dont la compréhension de ce qui est bon pour votre bébé. C'est un processus d'évolution constante, parfois mystérieux et extrêmement gratifiant. En cours de route, essayez de ne pas vous laisser déconcerter par toutes ces informations (« Fais ceci ! Ne fais pas cela ! Ne fais jamais cela ! ») au point de ne plus y voir clair. Que vous pensiez que c'est bien ou non, vous arriverez à avoir confiance en vous et en votre instinct. Vous arriverez à connaître votre bébé et vous-même en tant que parent. La navigation quotidienne entre tous les petits et grands choix parentaux vous oblige à vous presser et, pour finir, tous les nouveaux parents doivent décider par eux-mêmes ce qui leur paraît bon pour leur famille. Mais pour l'instant, ce qui vous sera vraiment utile est l'aide rassurante et empathique de personnes qui sont déjà passées par là. Deux fois.

Les parents pour la seconde fois, les parents « récidivistes » – aussi malins et imperturbables qu'ils paraissent au parc ou à l'épicerie – se sont tous retrouvés exactement au même endroit que vous il n'y a pas si longtemps.

Ils ont tournicoté autour de leur premier bébé et se sont inquiétés de tout, et ils se rappellent parfaitement à quoi a ressemblé cette (angoissante) première expérience. Aujourd'hui, ils agissent un peu différemment. En suivant leur exemple, vous le pouvez aussi.

Par exemple :

Nouveau parent : *Je vais stériliser cette tétine qui est tombée.*

Parent récidiviste : *Oups ! le bébé mange encore des saletés.*

Nouveau parent : *Le bébé dort ; silence, tout le monde !*

Parent récidiviste : *Le bébé dort ; recevons nos amis !*

Nouveau parent : *Oh, voyons, je dirais qu'il nous faut environ une heure à tous les deux pour mettre notre bébé au lit.*

Parent récidiviste : *Écoute, je peux donner son bain à mon bébé et, en même temps, lire une histoire à l'aîné pour dormir.*

Nouveau parent : *Le bébé pleure... nous ferions mieux de partir.*

Parent récidiviste : *Il pleure ? Comment ça, il pleure ?*

Vous voyez, quand un second enfant arrive, les parents sont non seulement plus confiants grâce à cette précieuse expérience, mais ils ont moins de temps, d'énergie et de patience pour pouponner, être aux petits soins et peut-être même s'obnubiler sur le moindre détail. Ils savent que les bébés sont résistants, que tout passe et que les choses finissent généralement bien. Ajoutez le fait qu'ils ont abandonné toute illusion sur ce que la parentalité est « censée » être et vous obtenez des parents qui ont une approche différente de toutes les tâches. Vous pourriez dire qu'ils allègent. Sans aucun doute, ils s'économisent. Et, par nécessité, ils deviennent très, très efficaces.

Les parents expérimentés n'ont pas d'autre choix que de laisser de côté une partie des soucis, trouver des astuces pour faire les choses plus facilement et plus vite, et prendre en compte les besoins de toute la famille (oui, y compris les vôtres) et non uniquement ceux du bébé. Ils ont cessé de s'angoisser pour les petites choses, des drôles de bruits nocturnes aux voyages avec le bébé ou le fait de le laisser aux soins d'une baby-sitter. Ils ne consultent plus les livres de façon obsessionnelle, ne comparent plus leurs notes avec celles de tous les autres parents ou ne se sentent plus coupables de leurs petites erreurs ; non : les parents expérimentés ont appris à se détendre et à profiter davantage, à se stresser moins et ne plus hésiter.

Pendant ce temps, ces merveilleux seconds bébés, auxquels on a moins prêté attention, deviennent formidables ; on dit souvent d'eux qu'ils s'adaptent plus facilement, sont plus détendus et indépendants que leurs aînés. Les parents s'étonnent souvent à haute voix de la « forme » de leur second enfant en comparaison des souvenirs qu'ils ont du premier (plus patient, plus calme, moins de travail) mais est-ce vraiment le tempérament de l'enfant qui est différent ou leur propre attitude ? Le numéro deux dort-il vraiment mieux ou est-ce seulement que, au lieu d'être inlassablement bercé et surveillé, il a appris à se calmer parce que maman était occupée à baigner le premier enfant ?

Soyons honnêtes : il n'est pas possible d'adopter totalement l'attitude décontractée du parent du second enfant dès le premier. C'est une chose de comprendre intellectuellement que le monde ne s'arrête pas de tourner pour une sieste sautée, que quelques pleurs n'ont jamais tué personne et qu'il est bon de prendre une douche. Mais c'est tout autre chose de le sentir vraiment, de le croire et d'avoir ce comportement de parent. Pourtant, il est utile d'entendre de la bouche de parents de deux enfants que vous franchirez ces hauts et ces bas apparemment interminables, que tout ira vraiment bien.

Et, comme dans tout métier, agir comme si vous étiez plus expérimenté que vous l'êtes en réalité vous aidera peut-être à vous sentir davantage en confiance. Nous espérons que ce livre vous inspirera cette confiance. Plutôt que d'énumérer tous les sujets d'inquiétude possibles et toutes les choses à ne pas faire, ce livre est destiné à vous rappeler que vous pouvez faire ce que les parents expérimentés ont appri, et ce que vous devriez faire. Et, vraiment, vous pouvez le faire.

Nous ne prétendons pas être des experts en éducation, des médecins ou des psychologues. Nous sommes des parents ordinaires – du genre à avoir eu leur premier bébé vers 35 ans, qui ont peut-être trop réfléchi, se sont trop documentés et ont été un peu trop aux petits soins pour celui-ci. Aujourd'hui, avec deux enfants âgés de 4 et 2 ans, nous passons beaucoup de temps à parler, avec d'autres parents de deux enfants, de toutes les choses que nous faisons maintenant et que nous n'aurions jamais pensé à faire alors : par exemple, changer des couches dans les toilettes d'un restaurant, nous absenter une nuit complète ou laisser notre nouveau bébé dormir dans un berceau dans un coin de notre bureau, sans un mobile en vue. Plutôt que de penser à tout ce qui pourrait aller de travers ou à toutes les choses contre lesquelles les autres livres vous préviennent, nous regardons maintenant la vie avec des enfants avec l'attitude « Bien, quel est le pire qui peut arriver ? ».

Cette évolution peut vous procurer toutes sortes de libertés. Voyez-vous, parfois, la moitié de la bataille est de vous accorder à vous-même la permission de faire avec votre bébé une tentative qui fonctionnera ou non, comme sortir dîner ou aller à une séance de pédicure avec le couffin. Les parents expérimentés s'inquiètent beaucoup moins de provoquer un esclandre ou de causer un dérangement à leur bébé. Ils ont assoupli leurs attentes sur tous les fronts. Ils comprennent que la vie doit continuer et que le bébé accompagne la promenade.

Nous espérons que, lorsque vous aurez terminé notre livre, vous aborderez chaque nouveau challenge en vous demandant : « Que feraient les parents d'un second enfant ? »

Voici une centaine de choses que nous aurions aimé savoir la première fois. Nous espérons que cela vous aidera – et vous aidera à vous détendre – dans votre parcours de nouveau parent.

NOTE DES AUTEURS

Nous avons eu la chance de connaître des accouchements sans complication et d'avoir deux enfants bien-portants, ce qui signifie que nous prenons soin de nos enfants et nous écrivons dans cette perspective. Les bébés qui ont des besoins particuliers, eh bien... ont des besoins particuliers et, par conséquent, certaines de nos suggestions ne sont ni adaptées ni conseillées pour votre famille. La santé de votre bébé est d'une importance capitale. Consultez toujours votre médecin pour toutes vos questions.

[N°] 01 VOUS N'ÊTES PAS OBLIGÉ d'acheter TOUS CES GADGETS

L'une des tâches les plus écrasantes qu'affrontent les nouveaux parents avant même la naissance du bébé est de rassembler les informations sur les achats nécessaires à son confort. Il est déjà assez difficile de gérer les lectures, les rendez-vous chez le médecin, les modifications physiques chez la maman (et peut-être chez le papa !), sans être de surcroît soumis à la pression du choix d'une poussette, d'un break ou un monospace, d'un body bio haut de gamme ou de couches bon marché... Respirez profondément et répétez après nous : *Je n'en ai pas besoin. Je n'en ai pas besoin. Je n'en ai pas besoin...*

Voici ce dont vous avez vraiment besoin pour les premiers mois de vie de votre bébé :

- ***Un siège auto pour bébés.***
- ***Un gros pack de couches pour nouveau-nés.***
- ***Un gros pack de lingettes pour bébés sans parfum et sans alcool (ou du coton hydrophile).***
- ***Des bodies en pagaille.***
- ***De quoi abriter le sommeil de votre bébé (un couffin, un berceau, un lit à barreaux, votre lit, ou même un tiroir propre et sec tapissé d'un rembourrage moelleux...).***

Si vous vivez sous un climat froid, vous pouvez ajouter à la liste un bonnet, une paire de chaussettes et une couverture, mais vous en recevrez un million en cadeaux et même votre hôpital vous renverra chez vous avec ces accessoires.

Considérez absolument tout le reste comme du superflu qu'il n'est pas nécessaire d'acheter avant l'arrivée du bébé ou immédiatement par la suite. (Croyez-le si vous voulez : les magasins *seront* encore ouverts après la naissance de votre enfant.) En fait, il est bien plus prudent d'attendre et de voir comment les choses évoluent ; autrement, vous vous retrouverez avec des dizaines de pyjamas avec des pieds et découvrirez que ni vous ni votre bébé ne les aimez, ou avec une énorme poussette hors de prix que vous aimeriez échanger avec une version plus petite et plus légère, plus maniable pour entrer et sortir des magasins du quartier. Il n'y a aucun moyen de savoir exactement ce dont vous avez besoin (ou comment vous souhaiterez l'utiliser) avant que le bébé ne soit là et fasse partie de votre vie. Donc, commencez simplement. Puis vous commanderez les autres articles en ligne, ou les emprunterez, ou enverrez votre mari, votre mère ou un(e) ami(e) chercher ce dont vous avez besoin – l'entourage aime se rendre utile et ça lui donne un but.

Maintenant, toute future maman (et peut-être même certains papas) a une liste dans la tête de ce qu'elle *doit acheter* pour dormir en paix – et au diable la logique ! Pour l'une de nos amies, c'était une adorable paire de draps assortie au lit à barreaux ; elle avait beau savoir que son bébé ne dormirait pas immédiatement dans ce lit, cela la rassurait que tout soit beau alors qu'elle était encore enceinte. Une autre amie ne pensait qu'au stock de chaussettes et de bonnets pour son bébé attendu en hiver ; pen-

Les bons achats pour le bébé

Vous savez déjà qu'à partir de J+1, vous aurez seulement besoin des articles énumérés en p. 18. Mais il y a des chances que vous achetiez rapidement beaucoup d'autres choses. Reportez-vous à cette liste quand vous irez faire du shopping ou établirez votre liste de naissance. (Ne vous inquiétez pas encore du matériel dont vous aurez besoin dans plusieurs mois ; vous avez toujours intérêt à attendre pour savoir ce qui vous conviendra le mieux le moment venu.)

LE PARC PORTATIF. Ou parc de voyage. Il est parfois appelé par son nom de marque Pack'n Play (de Graco). Ce parc portatif très pratique est équipé d'un matelas pour les nouveau-nés et peut être plié pour aller chez la grand-mère. Vous pouvez aussi l'utiliser chez vous au lieu d'un parc en bois coûteux. Le bébé y sera très bien jusqu'à 2 ans passés ou au moment où il sera prêt à émigrer vers un grand lit.

LE PORTE-BÉBÉ. Un porte-bébé frontal classique comme le BabyBjörn™ (achetez le modèle avec support lombaire : le supplément de prix est mérité) est formidable ; un modèle Ergo™ ou une écharpe Moby™ offrent des positions de portage différentes. La majorité des magasins vous permettront d'essayer divers modèles et vous aideront à faire votre choix.

LE SNAP-N-GO. Ce cadre transforme le siège auto en poussette et évite l'achat d'une poussette sophistiquée pendant au moins six à douze mois. Génial.

LE MONITEUR DE SURVEILLANCE. Choisissez le modèle le plus basique. Vous n'avez pas besoin d'un modèle avec écran vidéo ou détecteur de mouvements. Si vous avez un jardin, choisissez un modèle sans fil.

LE TRANSAT POUR BÉBÉS VIBRANT. Ce siège portable et confortable se pose sur le sol et il est idéal pour installer le bébé à proximité quand vous êtes dans la cuisine ou le living.

LES ACCESSOIRES DE BAIN. Baignoire pour bébés, burnous à capuche et petites lavettes ou gants sont utiles et agréables, de même qu'une réserve de bavettes (les serviettes de bar sont parfaites).

LE MATÉRIEL DE CHANGE. Une poubelle à couches, une table à langer (ou quelque chose qui en fait office) et un coussin dans une housse lavable facilitent l'opération.

LES ARTICLES DE PARAPHARMACIE. Envoyez votre maman ou une amie les chercher quand vous en avez besoin ou achetez-les à l'avance si vous aimez vraiment vous sentir paré à toute éventualité : ciseaux à ongles, boules de coton, paracétamol infantile, savon et shampoing pour bébés, tétines (plusieurs différentes) et crème pour l'érythème fessier ou vaseline.

Dans votre frénésie d'achats, n'oubliez pas les accessoires qui vous rendront la vie plus facile. Voici notre liste totalement subjective de ce que nous estimons vital :

LE COUSSIN D'ALLAITEMENT (SI LA MAMAN PRÉVOIT D'ALLAITER). L'essayez, c'est l'adopter ! Il permettra même à la maman de dormir plus confortablement pendant ses derniers mois de grossesse.

LE SOUTIEN-GORGE D'ALLAITEMENT ET LES COUSSINETS EN COTON. La maman aura besoin de trois soutiens-gorge, car deux d'entre eux seront en permanence au lavage. Vous brûlerez tout quand vous cesserez d'allaiter : donc, ne faites pas de folies !

UN FAUTEUIL CONFORTABLE AVEC UN APPUIE-TÊTE. Ne vous laissez pas avoir par ces fauteuils à bascule ou ces balancelles à dossier bas et lignes modernes ; les deux parents doivent pouvoir pencher la tête en arrière et s'assoupir.

LE BALLON D'EXERCICE. C'est une alternative simple et bon marché à votre siège de relaxation. Nombre de bébés préfèrent un mouvement de rebondissement à un mouvement de balancier et le ballon épargnera vos jambes et votre dos à un point que vous n'imaginez pas. L'idéal est qu'il se trouve dans une pièce différente (ou un étage) que votre fauteuil.

UN MUG DE VOYAGE ISOTHERME AVEC COUVERCLE ANTI-DÉBORDEMENT. Il n'y a pas de raison que maman ou papa ait l'impression de ne pas avoir savouré une tasse de café chaud depuis des semaines. Vous utiliserez ce genre de tasse jusqu'à ce que votre enfant entre au cours préparatoire : donc investissez dans un modèle de bonne qualité.

LES BOULES QUIES®. Voir « Les boules Quies sont vos amies » (p. 154).

LE CÂBLE. Vous allez regarder souvent la télévision à des heures bizarres. Offrez-vous le câble ou un bouquet de chaînes par satellite. Il est peut-être temps aussi d'investir dans un magnétoscope numérique.

LES LIVRES AUDIO. Vous n'êtes pas fanatique de la TV ? Téléchargez une série de bons livres audio (ou achetez-les en CD) en prévision des moments où vous serez coincé sous votre bébé ou que vous vous promènerez interminablement avec lui.

LES MAGAZINES QUE VOUS POUVEZ MANIPULER D'UNE SEULE MAIN. Feuilletez-les pendant les innombrables tétées ou quand le bébé est endormi dans vos bras.

LES EN-CAS POUR LA MAMAN. La maman aura faim en permanence. Chargez quelqu'un de remplir des sachets – à fermeture à pression – d'amandes, d'abricots, de mangue ou autres fruits secs, et de pépites de chocolat ; cachez-les dans son sac à main, sa voiture, la table de nuit, le sac et la table à langer, et la poussette. Il est également judicieux de stocker des barres énergétiques, des bananes et des bouteilles d'eau dans ces caches.

dant ce temps, son mari cherchait tous les articles assurant la sécurité des enfants - alors que ce n'était encore que le second trimestre. Pour vous, il s'agira peut-être d'une voiture plus grande, d'une chambre d'enfant entièrement décorée ou de tiroirs emplis de tenues assorties. Il est normal de succomber à ses envies personnelles. Réfléchissez à ce qui vous préoccupe et achetez-le tout simplement (et préparez une grande enveloppe pour ranger les factures concernant le bébé au cas où vous devriez rendre des articles). Puis passez à autre chose.

DEMANDEZ CE DONT VOUS AVEZ *vraiment* BESOIN

Pour notre première naissance, on nous a offert des tonnes de choses merveilleuses, et plus que notre part de ravissants bonnets tricotés, de bavoirs sophistiqués et d'adorables chaussons. (Conseil : une paire de chaussons suffit, si ce n'est trop.) Pour notre seconde grossesse, nous avons suggéré un changement de règle du jeu : nous avons suggéré à chacun de nos visiteurs d'apporter une soupe ou un bon petit plat prêts à être congelés jusqu'à l'arrivée du bébé. Ça a été formidable de rentrer à la maison et d'avoir une dizaine de repas préparés qui nous attendaient. Tellement génial en fait que nous avons regretté de ne pas y avoir pensé la première fois.

Même si vous préférez une liste de naissance avec des cadeaux traditionnels, vos proches ont plein d'autres occasions de vous aider. On vous demandera ce dont vous avez besoin, ce qu'il faut vous apporter, ce qu'on peut faire. C'est le moment dans votre vie de *ne pas* être polie. Au lieu de répondre : « Rien du tout », confiez une tâche à chacun. Les gens sont heureux de rendre service à une jeune mère et vos amies célibataires ou les parents qui s'attardent auront ainsi quelque chose à faire.

Contrairement à ce que pensent les nouveaux parents, demander de l'aide ne vous marque pas du sceau de l'incompétence, mais est en réalité un signe d'intelligence. Donc, n'hésitez pas à demander à un(e) ami(e) de vous acheter un paquet de couches au passage. Acceptez que votre belle-mère plie le linge. Dites à vos collègues que le cadeau que vous adoreriez serait la visite d'une équipe de ménage. Voyez si votre voisin peut acheter du café et du lait en rentrant chez lui pour vous éviter de sortir. Demandez, demandez, demandez... On dit toujours « oui » à des nouveaux parents et il y a des chances que tout le monde cesse de proposer des services plus tôt que vous ne le pensez. Et tenez-vous à cette règle qui ressemble à une plaisanterie sans en être une, instaurée par les parents expérimentés : quiconque passe à la maison pour faire un câlin au bébé doit apporter le repas pour toute la famille.

TRUC DE PARENT RÉCIDIVISTE

Si l'un des grands-pères du bébé veut se rendre utile, prévoyez un week-end où il transformera ce cagibi rempli de tout un attirail inutile placard plein de tiroirs et d'étagères qui feront votre bonheur.

Cette règle s'applique également dans le monde. Quand vient le second enfant, nous n'y réfléchissons pas à deux fois avant d'emprunter une couche ou autre article de base à n'importe quel parent de rencontre, de demander à des amis de jouer les baby-sitters quand nous avons besoin de respirer ou de l'argent pour l'inscription au collège plutôt que des jouets inutiles à Noël. Nous avons aussi appris à habituer notre bébé à des traitements insolites et vous le devriez également. Ne considérez pas comme un constat d'échec le fait que vous avez besoin d'être traité différemment. Vous *devez* être traité différemment : vous le méritez ! (Vraiment, pourquoi n'y a-t-il pas de places de parking spéciales, de queues à l'épicerie ou à l'aéroport attribuées aux parents avec des bébés ?) Foncez et, dès que vous serez habitué à louvoyer dans la vie avec un nourrisson, exigez une place à votre convenance dans l'avion, de passer en priorité dans les toilettes publiques ou dans une queue interminable. Un sincère : « *Excusez-moi, est-ce que cela vous ennuierait beaucoup que je passe en premier ? Mon bébé a besoin d'être [nourri, changé, de dormir, etc.]* » fait merveille et peut vous permettre de passer des journées plus agréables.

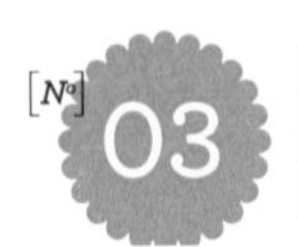

VOTRE PROJET DE NAISSANCE peut TOMBER À L'EAU

C'est formidable d'avoir un projet de naissance si vous avez des souhaits précis sur ce qui se passera en salle d'accouchement. Mais peu importe ce que vous écrivez ou imaginez ou vos discussions avec le médecin : la réalité sera peut-être très différente. Faites-vous une raison. Quand vous aurez votre second enfant, vous comprendrez que le travail et l'accouchement réservent des surprises, pas toujours agréables, et que seules la santé et la sécurité de votre bébé et les vôtres comptent. Ils n'ont pas la baignoire que vous avez demandée ? Oubliez. Une fois que le travail aura commencé, vous comprendrez, dans chaque fibre de votre être, que rien n'est important.

Une amie se rappelle sa colère à propos de sa césarienne en urgence au bout de douze heures de travail : « J'étais furieuse contre le médecin car rien ne se passait comme je voulais. Mon mari et moi étions si peu préparés : nous avions apporté une bouteille de champagne et pensions que ça allait être du gâteau. Ça n'a pas été du gâteau. Le bébé était petit et j'ai eu du mal à m'en remettre. » Quand est venu son second enfant, elle s'est excusée de sa réaction auprès du médecin. « Cela a pris du temps, mais j'ai fini par me rendre compte que l'important était la sécurité de ma fille. J'ai remercié le docteur avec effusion pour cela car je ne l'avais pas fait la première fois. »

Chère maman, vous serez peut-être accouchée par un médecin que vous n'avez jamais rencontré auparavant. Vous pouvez arriver dans un hôpital que vous ne connaissez pas. L'accouchement peut être si rapide que votre compagnon n'aura pas le temps d'arriver ou si lent que vous penserez ne pas pouvoir le supporter. Vous devrez peut-être accepter une césarienne, même si vous y êtes opposée. Vous voudrez peut-être des médicaments et on vous les refusera, ou vous les refuserez mais devrez les prendre. Même si tout se passe en douceur, il est prudent d'envisager que cela ne ressemble pas à ce que vous avez imaginé.

Donc, comment se préparer ? À vrai dire, vous ne le pouvez pas vraiment. Bien sûr, vous pouvez regarder des documentaires et prendre des cours. Vous pouvez interroger d'autres parents sur leurs expériences. Mais si vous avez confiance dans l'équipe médicale que vous avez choisie et si vous lui avez fait part de vos soucis ou de vos demandes particulières, vous avez fait votre travail pour l'instant.

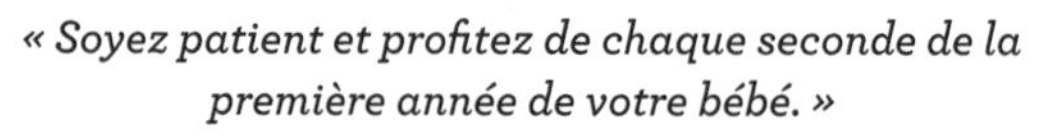

« Soyez patient et profitez de chaque seconde de la première année de votre bébé. »

Rose, maman de deux enfants de 14 et 12 ans

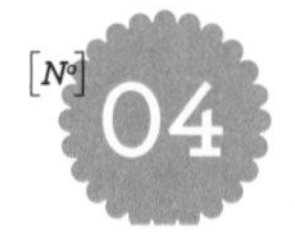

[No] 04 DIFFÉREZ VOS RÉPONSES aux RSVP

Quand vous attendez l'arrivée d'un bébé pour la première fois, l'idée d'un voyage à l'étranger, d'un trajet en voiture, d'une réunion de famille ou d'un mariage à l'autre bout du monde, après sa naissance, ne semble pas seulement tentante, mais peut être même envisageable. Quelle occasion merveilleuse de présenter le membre le plus récent de la famille !

Mais, même si la naissance se passe exactement comme prévu, que vous avez le bonheur d'avoir un superbe bébé en pleine forme, « facile », et que la maman est bien remise, vous ne vous sentirez peut-être pas disposé à cela. L'idée de faire des valises, de dormir dans un endroit inconnu et d'exposer votre bébé (et vous-même !) au stress d'un voyage ne vous conviendra peut-être pas. En vérité, vous et votre partenaire ne saurez si vous avez envie de faire des apparitions publiques qu'*après* la « grande arrivée ».

Si possible, repoussez tous les RSVP ou les billets d'avion non remboursables au-delà de la naissance. Dites à vos hôtes que vous êtes un « peut-être » ; tout le monde comprendra. Et si vous devez manquer quelque chose d'énorme cette année, qu'il en soit ainsi : vous n'avez pas besoin de plus de pression que vous n'en avez. Et s'il s'agit vraiment d'un événement inratable et que vous n'êtes pas disposés à voyager avec le bébé, l'un des parents peut se déplacer pendant que l'autre reste à la maison avec le bébé...

[N°] 05 GARDEZ VOTRE FAMILLE À DISTANCE pendant UN MOMENT

Associer votre famille à la naissance de votre bébé et aux premiers jours de sa vie est une décision très personnelle. Certaines personnes ne peuvent imaginer avoir un bébé sans que leur mère, leur sœur ou leur meilleure amie soit dans les parages. Chez d'autres, l'instinct de nidification impose de se replier sur leur nouvelle cellule familiale et de fermer la porte. Voici ce qu'ont appris les parents expérimentés : vous *avez* le choix.

« Je ne pensais pas vraiment que je pouvais dire à ma mère de ne pas venir tout de suite, dit une amie dont le bébé était le premier petit-enfant des deux côtés. Mais le bébé est arrivé en avance et ma mère n'a pas pu être présente, et j'ai été heureuse de ces quelques premiers jours tranquilles. J'ai de si bons souvenirs de notre retour de l'hôpital, juste nous trois, et de la façon dont nous avons trouvé notre rythme et notre routine. Maintenant, je conseille à mes amies de se demander si elles apprécieraient une petite pause avant que la famille ne débarque. »

Évidemment, si vous avez une parente ou une amie proche sur qui vous pouvez vous appuyer et si vous aimez l'idée de partager l'expérience avec cette personne, prévoyez-le. Disposer d'une autre paire de bras pendant ces premiers jours présente des avantages : de l'aide pour la cuisine, le ménage et les soins du bébé. Mais si vous avez un doute ou si vous avez une famille dynamique qui vous stresse, il est normal de dire à votre entourage d'attendre, même à vos parents. S'ils n'ont pas de billets d'avion à réserver, c'est encore mieux ; dites-leur que vous déciderez quand vous serez prête pour les visites. S'ils doivent réserver des billets à l'avance, demandez-leur de venir une ou deux semaines après la date prévue pour l'accouchement. Et, sincèrement, qu'ils arrivent le jour J + 5 ou + 15, votre bébé sera toujours tout nouveau et l'instant sera toujours magique pour tous.

Rappelez-vous que c'est le seul moment de votre vie où vous serez seuls avec votre bébé. Si vous avez un second enfant, les tête à tête tranquilles avec votre nouveau bébé seront limités car vous devrez partager vos attentions. Autrement dit, cette merveilleuse bulle où vous dormez ensemble à des heures incongrues, faites des câlins interminables et vous consacrez uniquement l'un à l'autre sera un souvenir du passé.

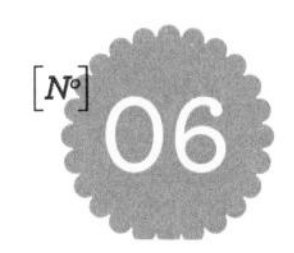

LE PRÉNOM QUE VOUS AVEZ CHOISI est PARFAIT

Que vous ayez choisi d'honorer votre arrière-grand-mère Marguerite ou que vous ayez inventé un « Zodon » en mélangeant vos noms de famille, quelqu'un vous fera forcément une remarque agaçante. Et ce sera très probablement l'une des suivantes :

- ***Quelle coïncidence ! Il y en a trois à la crèche cette année !***
- ***C'est pour une fille ou un garçon ?***
- ***Ouah, nous ne pensions pas que vous choisiriez ça.***
- ***Et qu'est-ce que vous envisagez comme diminutif ?***
- ***Quel courage de choisir un prénom aussi original [ou désuet].***
- ***Oh, je ne pourrai jamais me faire à ce prénom ; c'était celui de mon [ex-petit ami monstrueux, abominable patron, premier animal de compagnie, pire ennemi au lycée] !***

De toute évidence, aucun de ces commentaires n'est d'aucune utilité et l'on se demande ce qui prend à certaines personnes de se mêler d'un choix si personnel. Cela tapera probablement moins sur les nerfs des parents expérimentés, qui sont déjà passés par là. L'essentiel est de ne pas laisser votre famille ou vos amis vous influencer avant la naissance (si vous les informez) et de ne pas laisser les étrangers vous ennuyer après. Le prénom que vous avez choisi est tout simplement parfait.

APRÈS LA LIVRAISON

faites-vous LIVRER

Aujourd'hui vous pouvez vous faire livrer pratiquement tout à domicile. Il n'y a pas de meilleur moment pour en profiter ! Pourquoi traîner un nouveau-né au supermarché en pleine saison de la grippe (ou par 35 °C à l'ombre) alors que vous n'y êtes pas obligé ? Voici quelques articles que vous devriez envisager de vous faire livrer :

- **Les couches.** Couches, lingettes, lait en poudre... Tous les articles nécessaires au confort du bébé peuvent être commandés sur les sites dédiés de la grande distribution ; la livraison est gratuite à partir d'un montant minimum (facile à atteindre).

- **L'épicerie.** La totalité des chaînes de la grande distribution livrent de l'épicerie via leur site de vente en ligne. Faites votre liste de produits de base – lait, pain, bananes, œufs, yaourts, barres énergétiques, serviettes en papier, etc. – et vous vous déplacerez moins souvent ou moins loin.

- **LES PRODUITS BIOLOGIQUES.** De nombreux producteurs de fruits et légumes proposent des services de livraison à domicile, sur abonnement. C'est une méthode formidable pour être sûre de bien manger pendant cette période importante sur le plan nutritionnel.

TRUC DE PARENT RÉCIDIVISTE

Avant l'arrivée du bébé, faites la liste des restaurants du voisinage qui livrent ou proposent des plats à emporter et inscrivez-les dans un petit répertoire, à poser près du téléphone.

- **LES PRODUITS DE BEAUTÉ ET DE PARAPHARMACIE.** Il va peut-être se passer un peu de temps avant que vous ne flâniez parmi les rayons à la recherche de votre mascara favori ou d'un analgésique. Commandez en ligne ce dont vous êtes presque à court : vous n'aurez plus à y penser plus tard.

- **LES MAGAZINES.** Vous ne lirez peut-être pas un livre en entier d'ici un bon moment. Profitez des tarifs réduits et abonnez-vous à un magazine qui vous remontera le moral dès qu'il tombera dans la boîte aux lettres. Les magazines sont exactement ce qu'il vous faut pour vous inciter à vous détendre quand vous avez une minute.

- **Les repas préparés.** Il existe pléthore de traiteurs qui proposent un service de plats préparés avec un large choix. Vous offrir la livraison d'un dîner tout préparé, ne serait-ce qu'une fois par semaine, vous soulagera. Renseignez-vous, faites une recherche en ligne ou suggérez à vos amis que ce serait un cadeau parfait.

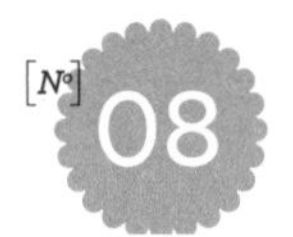

VOUS PENSEREZ PEUT-ÊTRE QUE votre BÉBÉ a l'air BIZARRE

Voici un secret : vous pouvez être surpris quand étudierez votre bébé pour la première fois et que vous réaliserez qu'il ne ressemble pas du tout à ce que vous attendiez. Et vous risquez alors de vous en vouloir d'être déçu de son aspect étrange (tout à fait possible). Comment pouvez-vous être si superficiel ?

Nous sommes passés par là. Notre première fille pesait 4,5 kg, avait une crête d'Iroquois, un visage rouge et bouffi, un ventre énorme, des poils sur les fesses et des yeux qui refusaient de s'ouvrir ; elle ressemblait à un mélange d'animal et de Bouddha en colère dans notre famille aux cheveux clairs et aux yeux bleus. Vous avez peut-être entendu dire que tous les parents trouvent leur nouveau-né incroyablement beau. C'est faux. Tous les parents ne sont pas aveugles devant l'acné du nourrisson, le nez écrasé, les croûtes de lait, la forme étrange du crâne et l'aspect général bizarre – d'autant plus que nous avons une image dans l'esprit, probablement influencée par tous ces bébés vus à la TV.

Si vous êtes moins qu'enchanté par l'apparence de votre bout de chou au début, ne vous inquiétez pas. Et n'ayez pas de malaise. Vous l'aimerez malgré tout et, heureusement, il s'épanouira bientôt sous vos yeux.

LES PREMIÈRES SEMAINES vont VOUS rendre DINGUE

Peu importe votre degré de préparation : la période entre la naissance du bébé et son anniversaire de 3 mois sera l'une des périodes les plus dures de votre vie et la plus stupéfiante. Vous entendrez même cette période baptisée « le quatrième trimestre » car elle ressemble vraiment à une extension de la grossesse pendant laquelle le bébé dépend complètement de vous et ne vous donne encore rien en retour. Les manifestations élémentaires que vous attendez d'un bébé et que vous avez attendues pendant tout ce temps – le sourire, le regard d'adoration et la simple reconnaissance de votre statut de parent qui donne la vie – sont encore inexistantes. Alors que ce bébé vous demande tant, il peut sembler ingrat d'être uniquement récompensé par un tourbillon apparemment interminable de couches salies, de cris affamés en pleine nuit et de besoins mystérieux qui de toute façon ne peuvent être satisfaits malgré tous vos efforts.

Vous n'aurez probablement jamais traversé de tels hauts et de tels bas. Allégresse et désespoir vont élire domicile chez vous et vous ne saurez jamais lequel va vous frapper de plein fouet.

Vous serez en manque de sommeil, inquiet, en proie à vos hormones et affamée pour la maman, vous en aurez marre, vous serez effrayé. Vous vous demanderez comment cet être complètement étranger s'est retrouvé avec vous et ce que vous êtes supposé faire avec lui maintenant. Vous ne saurez pas comment passent les journées, mais elles passeront, habituellement trop vite ou trop lentement. Vous pleurerez et (espérons-le) rirez, et vous serez à la fois sidéré de ce que vous pouvez faire et paniqué de n'avoir aucune idée de ce que vous faites.

Nombre de parents expérimentés conviennent que ces douze premières semaines sont aussi accablantes et chaotiques la deuxième, la troisième et la quatrième fois – ce qui signifie qu'il n'y a aucun moyen de vous y préparer. Vous pouvez lire tous les livres, suivre les cours de préparation, équiper votre foyer de toutes les commodités possibles et *pourtant*... Pourtant vous rentrez à la maison avec un nourrisson qui compte sur vous pour tous les aspects de sa survie. L'implacabilité de la condition de parent vous frappera comme un ouragan. Il se peut que vous pensiez : « Comment est-ce que je peux faire ce boulot ? Et pourquoi diable ai-je signé pour ça ? » Quand ces questions commenceront à vous démoraliser, rappelez-vous ce que savent tous les parents expérimentés mais vous peut-être pas encore : il est normal de paniquer. Même si c'est difficile à croire, cette phase *va* passer.

« Ces trois premiers mois sont un test d'endurance, affirme un papa de trois enfants. Nous avons appris à simplement déblayer le terrain. Nous remplissons le congélateur et le garde-manger, nous prévoyons une garde d'enfants, nous veillons à prendre aussi peu d'engagements que possible, au travail comme à la maison. En gros, nous préparons le nid du mieux que nous pouvons. C'est tout ce que nous pouvons faire. Puis nous prévoyons de mettre des œillères et de nous accrocher. »

Et soyez assuré que des moments éblouissants d'amour, de fierté et de joie transperceront le brouillard de ces trois premiers mois à de nombreuses reprises. D'une manière ou d'une autre, au beau milieu d'un changement de couche de plus et de la préparation d'un biberon de plus et en vous réveillant une fois de plus en pleine nuit, vous sentirez l'immense fierté d'avoir créé cette nouvelle vie et de la guider à chaque instant. Chaque jour, le bébé deviendra plus fort et plus passionnant. Chaque jour, vous vous rapprocherez de cette limite des trois mois où les nouveaux parents se congratulent et réalisent que désormais tout va s'améliorer et devenir plus drôle. En fin de compte, ces semaines ne sont qu'une période incroyablement courte. Vous aurez de bons moments et des mauvais, mais vous y arriverez et vous atteindrez alors la première étape importante dans la vie des parents. Vous aurez réussi le quatrième et dernier trimestre. Félicitations !

[Nº] 10 PROFITEZ BIEN DES PHASES de SOMMEIL de votre BÉBÉ

Au cours des trois premiers mois, les nouveau-nés dorment jusqu'à seize heures par jour. Pourquoi donc êtes-vous toujours fatigué ? En dehors du fait que la maman se remet de la naissance (et est peut-être aussi en état de choc), c'est parce que ces heures ne sont pas consécutives – loin s'en faut. Malgré tout, cela fait beaucoup de temps même s'il est fragmenté. Donc, bien que votre bébé semble petit et fragile, c'est en fait la meilleure période pour voyager ou aller au restaurant, tout comme pour vous permettre des siestes de récupération.

> ***« Voyagez autant que vous pouvez quand votre bébé est jeune. Il n'y a pas meilleur compagnon de voyage que quelqu'un qui dort pendant presque tout le trajet, se cale dans votre giron et ne nécessite pas un billet plein tarif. »***
>
> **JENNIFER, MAMAN DE DEUX ENFANTS DE 3 ET 2 ANS**

Ne craignez pas de tenter une excursion, une soirée, un repas tranquille dans votre bistrot préféré l'après-midi pendant les premières semaines de votre bébé. Vous verrez les parents expérimentés le faire. Il y a des chances que le bébé dorme une bonne partie du temps et vous vous sentirez revigoré et fier de l'avoir tenté.

> **TRUC DE PARENT RÉCIDIVISTE**
>
> *Ne vous précipitez pas pour sortir votre bébé de son lit au premier piaillement. Si vous lui en laissez le loisir, il va peut-être se réveiller doucement, se contenter de gazouiller tout seul, et vous laisser quelques minutes de plus tous les matins.*

« Nous avons passé quatre semaines à Hawaï après la naissance de notre second enfant, se rappelle un parent expérimenté. C'est là que nous avons passé le congé de maternité de ma femme. C'était superbe : pendant que le bébé dormait dans sa poussette, nous autres profitions de la plage, des barbecues, du temps merveilleux. Nous n'aurions jamais, jamais été assez audacieux pour le faire avec le premier bébé. Mais c'était idéal avec le second. »

[N°] 11 N'AYEZ PAS PEUR des BRUITS NOCURNES

Les nouveau-nés sont les dormeurs les plus bruyants qu'on puisse imaginer. Ils grognent, reniflent, couinent et gargouillent. Vous vous réveillerez peut-être à maintes reprises dans la nuit, sidéré qu'une petite chose de quelques kilos puisse faire un tel chahut et persuadé qu'elle a « besoin » de quelque chose. En fait, si ce n'est pas l'heure du biberon, c'est seulement un nouveau-né bruyant qui cherche sa voie.

Une chose que les livres ne vous disent pas nécessairement est qu'il est tout à fait normal pour les nouveau-nés (et, d'après certains, notamment s'ils sont nés par césarienne) de produire toutes sortes de grognements pendant leurs premières semaines où leurs sinus se développent.

De plus, ils ont un rythme respiratoire quelque peu irrégulier ; le vôtre peut sembler cesser de respirer pendant quelques secondes à plusieurs reprises avant de reprendre un rythme normal – phénomène totalement anxiogène si vous n'y êtes pas habitué. Si le bébé est d'une couleur normale pendant son sommeil, il est probable qu'il va très bien. Évidemment, appelez sur-le-champ votre médecin s'il est d'une couleur inhabituelle ou s'il semble mal à l'aise ou essoufflé en émettant ces bruits. Mais tant qu'il dort dans le vacarme, vous devriez faire de même.

TRUC DE PARENT RÉCIDIVISTE

Quand votre bébé approche des 6 mois, vous pouvez aussi entendre les bruits (forts) de mouvements rythmiques qui lui font du bien mais stressent les parents : la tête qui cogne contre les parois du lit ou un battement répétitif des jambes contre le matelas. Ne vous inquiétez pas : c'est normal.

Voir aussi « Votre bébé sera très bien dans sa propre chambre » (p. 108) et « Les boules Quies® sont vos amies » (p. 154).

L'ALLAITEMENT N'EST PAS *toujours* FACILE

Contrairement à de nombreux soins d'un bébé, il n'y a aucune possibilité de s'entraîner à l'allaitement à l'avance. Quel que soit le nombre de nièces et de neveux que vous avez bercés pour les endormir ou d'enfants que vous avez gardés moyennant rétribution, c'est quelque chose que vous n'avez jamais fait. Cela provoque une peur réelle chez des nouveaux parents, notamment s'ils ont entendu des histoires angoissantes comprenant des termes comme « engorgement », « tire-lait », « canaux obstrués » et « mauvaise prise du sein ». D'autres nouveaux parents peuvent avoir une attitude de laisser-faire dans cette nouvelle aventure : après tout, le bébé arrive, vous le posez contre votre sein et c'est tout, non ?

TRUC DE PARENT RÉCIDIVISTE

Si vos seins sont particulièrement douloureux pour cause d'allaitement précoce et de succion brutale, procurez-vous des coupelles de protection (des coquilles percées d'un orifice dans lequel la mère glisse son mamelon). Vous les trouverez en pharmacie, dans les magasins spécialisés et sur Internet.

Avec un peu de chance, c'est le cas, mais pas toujours. En vérité, certains bébés sont plus calmes que d'autres. Des problèmes de santé ou des accouchements prématurés compliquent parfois le processus ; parfois le bébé est qualifié de « lent » ou « glouton », chacun présentant ses propres problèmes. Et, en dehors de tout autre problème, vous devez simplement vous habituer tous les deux pour y arriver. Un cours ou le visionnage d'une vidéo pédagogique avant l'accouchement peut être utile. Une aide encore plus efficace est apportée par ces anges que sont les sages-femmes. Jetez votre pudeur par la fenêtre (si ce n'est déjà fait) et laissez-les manipuler vos seins et la bouche de l'enfant pour trouver le bon alignement. Demandez des conseils sur tout, de la façon d'adapter votre lit aux soutiens-gorge que vous pourriez essayer et aux remèdes qui soulagent les seins douloureux. Appelez-les à plusieurs reprises jusqu'à ce que vous trouviez la personne qui vous aide le mieux. Et rappelez-vous que l'une des ironies les plus cruelles de la maternité est que votre bébé est né affamé et que le lait n'arrive pas immédiatement ; le séjour à l'hôpital est donc souvent la phase la plus pénible de la mise en place de l'allaitement. Tout devient généralement plus facile un jour ou deux après votre retour à la maison, quand tout est fluide.

L'allaitement est souvent plus facile lors de la seconde maternité s'il s'est bien passé la première fois, car le lait a tendance à arriver plus tôt et la maman a tiré les leçons de ses erreurs précédentes : par exemple, laisser le bébé téter trop longtemps les premières fois avant que les seins ne se soient « endurcis ». Elle a également enregistré quelques astuces :

- **Utilisez un coussin.** Un coussin d'allaitement ou un gros coussin ferme est précieux car il permet de garder le bébé dans la bonne position sans vous fatiguer les bras et le cou.

- **Utilisez un siège approprié.** Une mauvaise position pendant l'allaitement peut provoquer diverses affections des jambes et du dos. Efforcez-vous de garder les deux pieds à plat sur le sol ou investissez dans un repose-pieds. Utilisez un fauteuil confortable offrant un bon soutien du dos et des bras.

Gardez la tête droite. Aussi tentant soit-il d'admirer votre bébé, vous risquez vraiment de vous faire mal au cou à la longue. Pensez à observer la ligne d'horizon (ou la TV) aussi souvent que possible.

Gardez de la lanoline à portée de main. La peau des seins sèche et crevassée exige la crème Lansihoh®, la seule crème que vous devriez appliquer sur vos mamelons et qu'il n'est pas nécessaire d'essuyer avant une tétée. Ayez à portée de main des petits tubes partout où vous donnez la tétée jusqu'à ce que vos seins soient « endurcis ».

TRUC DE PARENT RÉCIDIVISTE

Vous pouvez acheter ou louer un tire-lait mais, dans l'idéal, empruntez-en un à une amie ou un membre de la famille (stérilisez les composants et les tuyaux ou achetez-en) – finalement, vous l'utiliserez peut-être peu et toutes les mamans veulent s'en débarrasser quand elles n'en ont plus besoin.

Achetez des compresses d'hydrogel. On vous proposera peut-être à l'hôpital des compresses d'hydrogel à poser sur vos seins. Également utilisées pour les brûlures, elles font merveille sur les seins douloureux et crevassés. Vous les trouverez en pharmacie.

Achetez des compresses d'allaitement. Ces compresses en coton, lavables, vont entrer dans votre vie pour un bon moment. Achetez-en une bonne quantité et vous n'aurez plus à vous inquiéter des fuites de lait ; lavez-les avec vos soutiens-gorge.

- **LES PETITS POIS CONGELÉS NE SONT PAS RÉSERVÉS AU DÎNER.** Quand vos seins sont engorgés ou douloureux, glissez un sachet de petits pois congelés dans votre soutien-gorge d'allaitement.

Voici ce que vous apprendrez avec l'expérience : l'allaitement peut être naturel pour vous ou il peut être plus difficile que vous ne le pensez. Vous découvrirez peut-être là l'un des aspects les plus magiques et gratifiants de la maternité... ou pas.

Vous pensez peut-être que vous allez allaiter pendant un an et vous arrêter au bout de quelques semaine– ou l'inverse. Comme nous l'avons dit, il n'y a pas de méthode pour s'y préparer vraiment et savoir à quoi ça va ressembler avant de vous être lancée. Ce qu'il est important de se rappeler est que, si l'allaitement est important pour vous et si vous êtes disposée à demander de l'aide quand vous rencontrez un obstacle, vous trouverez votre voie après les premiers à-coups. Et si cela ne fonctionne pas pour vous et votre bébé, il existe des alternatives parfaitement saines.

Voir aussi « Le lait infantile est excellent », ci-après.

[N°] 13 LE LAIT INFANTILE est EXCELLENT

Actuellement, contrairement aux trente dernières années, les nouvelles mamans subissent une forte pression pour allaiter à tout prix et nous en connaissons qui se sentent mal jugées si elles ne le font pas. Nous avons tous entendu les arguments en faveur de l'allaitement qui est la meilleure alimentation pour le bébé ; mais si vous décidez que l'allaitement n'est pas fait pour vous – quelle que soit la raison –, soyez assurée que le lait infantile est une alternative formidable.

> ***« J'ai simplement dit "non" au tire-lait après mon premier. Je n'ai jamais aimé cela et n'ai jamais été douée. Quand il a été temps d'initier le plus jeune au biberon, j'ai utilisé du lait infantile et l'allaitement le reste du temps. Ça a très bien fonctionné dans mon cas. »***
>
> **JANE, MAMAN DE TROIS ENFANTS DE 10, 6 ET 1 ANS**

L'allaitement est une réussite pour bon nombre de mères et, si c'est votre choix, nous espérons que ce sera le cas pour vous. Mais en dépit de vos meilleures intentions, vous risquez de rencontrer quelques problèmes. Vous pouvez ne pas aimer cela. Votre bébé peut ne pas le supporter. Peut-être devez-vous vous astreindre à une routine compliquée d'allaitement et de tirage de lait pour que l'offre corresponde à la demande ? Vous trouvez peut-être cela épuisant et commencez à être amère, exclue et en colère. Cela vous semble inconciliable avec un retour au travail. Si c'est le cas, vous en venez à vous demander si les avantages l'emportent sur le stress. La décision n'appartient qu'à vous. Malheureusement, outre vos émotions personnelles et votre envie d'arrêter (ou de ne pas commencer), il y a la pression extérieure. Essayez de ne pas vous laisser influencer. Documentez-vous ou demandez l'avis de votre médecin sur le lait infantile et vous vous rendrez compte qu'il nourrira parfaitement votre bébé. Ou bien posez la question à une maman expérimentée (qui est encline à raccourcir le temps passé à allaiter pour l'enfant suivant) et il y a des chances qu'elle souligne le fait qu'une maman stressée et malheureuse ne rend service ni à ses enfants ni à elle-même.

« J'ai fini par me demander quel était mon objectif, dit une maman qui a supporté le tirage de lait, l'allaitement et la sonde de gavage jour et nuit pour son petit mangeur. Mon objectif est-il d'allaiter exclusivement quoi qu'il arrive ou est-ce simplement de bien nourrir mon bébé et que nous soyons heureux et en bonne santé ? J'ai choisi cette dernière option et compris que je pouvais y arriver en utilisant du lait infantile. »

« Si vous utilisez du lait infantile en complément, mettez la dose de lait en poudre dans des biberons et gardez ceux-ci près de votre lit avec des bouteilles d'eau. Vous pourrez préparer rapidement un biberon en pleine nuit sans être obligée de tâtonner jusqu'à la cuisine. »

MEGAN, MAMAN DE DEUX ENFANTS DE 4 ET 2 ANS

Même si vous n'utilisez pas uniquement le lait infantile, vous pouvez l'introduire dans votre programme d'allaitement pour vous simplifier la vie. Quand le pédiatre vous demandera d'introduire le biberon, par exemple, vous pourrez essayer le lait infantile pour ces repas isolés et ainsi éviter de tirer votre lait. Ou vous pouvez allaiter dans la journée et laisser votre compagnon donner un biberon de lait infantile au milieu de la nuit de façon à vous reposer, si vos seins gonflés vous le permettent. Votre bébé le refusera-t-il ? Aurez-vous des fuites de lait le matin ? Vous ne le saurez qu'en essayant. Les parents expérimentés ont appris à se demander ce qui était le mieux pour chaque membre de la famille – et si l'association de tétées et de biberons fonctionne bien et économise le temps de la maman, c'est formidable.

TRUC DE PARENT RÉCIDIVISTE

Même si vous prévoyez de nourrir votre bébé exclusivement au sein, de nombreux médecins recommandent d'introduire le biberon entre 4 et 6 semaines (si jamais vous prévoyez de passer au biberon) – ce qui implique soit le tirage de lait, soit l'emploi de lait infantile. Le tire-lait est coûteux, difficile à manier et déroutant. Veillez à ce que les infirmières vous expliquent son fonctionnement à l'hôpital ou demandez une démonstration dans la boutique.

Le point essentiel est qu'il n'est pas nécessaire que vous vous épuisiez pour allaiter ou que vous vous infligiez une pression superflue pour continuer plus longtemps qu'il ne vous convient. Oui, l'allaitement au sein est considéré comme le summum sur un plan nutritionnel. C'est également bon marché et n'exige aucun équipement. Mais cela prend *beaucoup* de temps. Notre génération a la chance de disposer d'excellentes alternatives, y compris des formules de pointe et même biologiques. Il peut être difficile pour votre conjoint, votre famille et vos amis, ou d'autres jeunes mamans de comprendre les émotions liées aux décisions concernant vos choix d'allaitement mais, au final, vous devez faire ce que vous ressentez comme étant la meilleure solution. Soyez assurée que le lait infantile est une solution absolument parfaite pour votre bébé. L'amour est infiniment plus important.

« Mon premier enfant était prématuré et petit. Sur prescription du médecin, j'ai dû le nourrir au sein toutes les trois heures jour et nuit pendant trois mois. Inutile de dire que je n'ai jamais dormi plus de deux heures d'affilée pendant ces premiers mois. Pour mon second enfant, j'ai appris que mon mari pouvait donner un biberon de lait infantile la nuit de façon à ce que je dorme ; j'ai été une meilleure mère dans la journée. »

LYNE, MAMAN DE DEUX ENFANTS DE 7 ET 5 ANS

[N°] 14 FORMEZ UN CERCLE DE SOUTIEN RAPIDEMENT

Il n'y a rien de mal à avoir besoin de soutien ; en fait, la maternité comme la paternité seraient des expériences beaucoup plus sereines si chacune mettait en place un réseau susceptible de lui apporter de l'aide dès la grossesse. Si vous ne connaissez pas encore bien vos voisins, la naissance de votre bébé est le prétexte idéal pour sympathiser, notamment avec ceux qui ont de jeunes enfants. Vous pouvez commencer par un échange de baby-sitting, en négociant une matinée ou une soirée par semaine pour procurer du temps libre aux parents ou simplement échanger vos numéros de téléphone pour pouvoir appeler si vous avez besoin d'une pause d'une demi-heure ou d'un conseil sérieux. De plus, mieux vous apprenez à les connaître maintenant, plus drôles seront les après-midi de jeux dans le futur.

Aujourd'hui, nombre de nouveaux parents vivent loin de leur famille et, dans certains cas, les grands-parents du bébé sont trop âgés pour être d'un grand secours. Même si vous n'avez pas un tempérament « associatif » et êtes réticent à rejoindre un groupe, réfléchissez ainsi : si vous assistez à deux ou trois réunions d'un club de parents et vous entendez avec un seul autre couple, avec qui vous pouvez imaginer de passer un peu plus de temps (et que vous pouvez appeler en cas d'urgence), cela en vaut la peine.

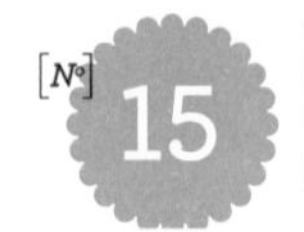

LA TABLE À LANGER *n'est pas* UNE OBLIGATION

Pour notre premier enfant, nous avons dû monter un grand escalier pour chaque changement de couche. Maintenant, avec deux enfants, nous n'avons ni le temps ni l'énergie de monter plus d'étages que nécessaire… sans compter que le premier pourrait se livrer à toutes sortes de facéties pendant les deux minutes sans surveillance que nécessitent les étages. Pour notre aîné, nous avions envisagé d'acheter une seconde table à langer pour le rez-de-chaussée. Je crois que nous étions fous ! Maintenant, nous avons un drap de bain sur la table de la salle à manger (et nous l'avons eu une année entière), et voilà ! Une table à langer ! Et elle est juste à la bonne hauteur. Qui s'assied encore pour dîner de toute façon ? Et surtout, gardez toujours une main sur un bébé qui est en hauteur.

TRUC DE PARENT RÉCIDIVISTE

Si votre bébé gigote dans tous les sens quand vous le changez, essayez de lui donner un objet sans danger qui ne soit pas un jouet. Parfois, un objet nouveau appartenant au monde adulte le distraira assez longtemps pour que vous puissiez le changer tranquillement.

Les parents expérimentés conseillent divers autres espaces : un grand canapé, le lit de la chambre d'amis, la table basse, le dessus du coffre à jouets et, bien entendu, la plus grande table à langer de la maison – le sol.

TRUC DE PARENT RÉCIDIVISTE

Trempez des serviettes en papier dans l'eau et mettez-les dans un sac en plastique à Zip : vous obtenez des lingettes instantanées qui ne dessèchent pas la peau du bébé avec des produits chimiques !

Cette théorie est également valable en dehors de la maison. Pas de table à langer dans le restaurant, le café ou le magasin où vous vous trouvez ? Ne vous précipitez pas chez vous. À moins que vous n'ayez un abominable fouillis à gérer et soyez plus à l'aise ailleurs, posez une couverture et changez votre bébé sur une banquette, une table ou le sol. Le siège arrière ou le hayon de la voiture fait aussi une table à langer pratique en cas d'urgence. Cela vous semblera plus naturel si vous vous êtes habitué à changer les couches dans différents endroits de la maison.

« Les lingettes sont formidables quand vous en avez besoin, mais vous n'êtes pas obligé de les utiliser à chaque change si le bébé a seulement fait pipi, surtout si vous êtes dans un endroit peu pratique ou quand le bébé grandit et que le changement de couche ressemble à un match de catch. L'urine est stérile, n'est-ce pas ? Zappez la lingette et passez directement à la couche propre ! »

ELIZA, MAMAN DE DEUX ENFANTS DE 4 ET 3 ANS

INUTILE DE MARCHER sur la POINTE DES PIEDS

« Ma maison est tellement bruyante en permanence ! se plaint une amie, mère de trois enfants. Cela me rend folle, mais le bébé dort très bien dans ce vacarme. »

Pendant les premiers mois de la vie de notre premier bébé, nous avions affiché un grand panneau « Ne pas sonner ! » au-dessus de la sonnette de la porte d'entrée. À l'heure de son coucher, les invités quittaient la maison, la sonnerie du téléphone à l'étage était débranchée et aucun gros appareil ménager n'était branché avant le matin. Les choses ont bien changé.

Notre seconde fille dort dans notre bureau personnel, juste derrière le grand écran TV. Non seulement nous utilisons le lave-linge et l'aspirateur ou nous regardons des films pendant qu'elle dort, mais des amis viennent souvent regarder un film le soir. Elle a appris à supporter non seulement les coups de sonnette, mais les rires, les hurlements et les colères d'une enfant de 4 ans bruyante. Et nous avons appris qu'il y a un gros avantage à cela : elle peut dormir n'importe où, dans une voiture bruyante, dans une maison inconnue avec des bruits nouveaux ou dans notre living pendant que l'aînée danse au son de la musique. Les seconds enfants ne connaissent pas le luxe d'une maison silencieuse. (Croyez-moi : notre maison n'est jamais silencieuse.)

« Ne vous battez pas avec votre bébé pour les petits soins de toilette. Coupez-lui les ongles ou la frange pendant qu'il dort ; pour moi, l'idéal était le siège auto. »

LYNE, MAMAN DE DEUX ENFANTS DE 8 ET 4 ANS

En fait, comme vous l'avez probablement lu, le ventre maternel est un endroit incroyablement bruyant. Le bruit convient aux bébés ; ils y sont habitués. Si vous le conditionnez à dormir uniquement dans le calme absolu, celui-ci lui sera vraisemblablement toujours indispensable pour s'assoupir. Cela va compliquer les choses pour vous deux. Si, d'autre part, vous lui apprenez à trouver le repos dans le bruit ambiant d'une maison en pleine activité, votre bébé sera plus adaptable et vous serez plus libre. Vaquez donc à vos occupations dans la journée et, pendant que vous y êtes, téléphonez à vos amis et invitez-les à boire un verre à 20 h. Préparez vos cocktails au shaker, mettez de la musique d'ambiance et portez un toast à cette nouvelle *happy hour* – celle qui commence juste après le coucher du bébé.

[N°] 17 VOUS POUVEZ VRAIMENT PRENDRE une DOUCHE

Voici peut-être la plainte la plus universelle des nouvelles mamans : « Je ne peux même pas prendre une douche ! » Nombre d'entre elles se rabattent par désespoir sur une douche nocturne, sans doute pleines de ressentiment et souhaitant être déjà au lit. Les parents expérimentés savent que les parents heureux font les enfants heureux et que, si la maman doit être plus heureuse après une douche (et le premier enfant est à l'école, ou en train de regarder un DVD alors que vous aviez juré ne jamais recourir à cette solution, ou occupé autrement pour l'instant), alors elle va prendre une douche. Donc, comment rendre les choses aussi agréables que possible pour vous deux ? Le premier obstacle s'agissant d'un nouveau-né est l'endroit où le placer physiquement, s'il est impossible de le laisser dans son lit ou son berceau ou si vous êtes simplement trop inquiète pour le laisser seul dans la pièce voisine au cours de ces premières semaines. Testez les suggestions suivantes, tout en parlant ou en chantant pour le bébé (ou en lui passant son CD favori), pendant que vous vous savonnez. Si vous n'avez pas de porte vitrée, laissez le rideau de douche ouvert et faites-lui coucou.

Essayez de mettre votre bébé dans :

- Un couffin, sur le sol ou dans la baignoire, si elle est séparée de la douche.

- Un transat vibrant pour bébés ou un siège à bascule avec tablette d'éveil.

- Le siège auto pour bébés.

Quand votre bébé sera un peu plus âgé (entre 4 et 7 mois), vous aurez davantage d'options. Essayez une table d'activités si vous pouvez en caser une dans votre salle de bains. À 6 mois et plus tard, quand le bébé se tient droit avec assurance, placez son siège de bain (avec ventouses) à l'extrémité de la douche avec quelques jouets de bain à porté de main. Avant d'associer votre bébé à la douche, vérifiez l'angle du jet ; réglez la pomme de douche de façon à ce qu'il voie l'eau et arrosez-lui peut-être les pieds en évitant de le tremper entièrement. Faites ensuite une répétition à sec ; habituez-le à l'endroit avant d'ouvrir le robinet en chantant et en jouant avec lui, assis côte à côte. Tout va bien ? Mettez la douche en marche à petit débit et tâtez la température. Montrez par votre voix et votre attitude que cette activité est amusante, sans stress ni précipitation. Félicitations ! Vous avez initié un rituel de douche commune qui se poursuivra bien jusqu'à la scolarité. Cette solution est particulièrement utile si vous disposez d'un pommeau de douche manuel ; lavez-vous puis rincez délicatement votre bébé et vous pourrez rayer le bain de votre liste d'obligations.

TRUC DE PARENT RÉCIDIVISTE

Vous voulez vous réchauffer par un après-midi frisquet ? Mettez votre bébé dans son gigoteur ou autre siège pour bébé et amusez-vous. Mieux encore, prenez votre bain ensemble !

L'astuce ici, comme dans la plupart des expériences menées avec un bébé, est de ne pas abandonner après une ou deux séances de hurlements. (Les parents expérimentés cèdent moins facilement à leurs enfants ; vous les entendrez rarement dire « Mon petit n'aime pas la poussette » ou « Mon bébé ne mange que des petits plats maison ». Ils s'obstinent jusqu'à ce que le petit soit habitué.) Comme pour tout événement régulier dans la maison, votre bébé prendra probablement goût à la douche si elle devient une routine familière et agréable ; donc, il est inutile de vous stresser. Montrez-lui plutôt par votre attitude à quel point cela va être drôle et croyez-y. Vendez-lui ! « Youpi, petit chanceux, c'est l'heure de la douche ! » Essayez différentes approches pour trouver celle qui fonctionne. Par exemple « siège auto + miroir magique + tétine + chanson préférée », surtout après un repas, peut être une combinaison gagnante qui vous garantit une douche merveilleuse et sans larmes (pour vous deux). Et rappelez-vous que les goûts et les aversions changent rapidement pendant la première année ; si une méthode ne fonctionne plus, essayez-en une autre même s'il a regimbé devant elle la dernière fois. Qui sait ? il pourrait finir par aimer vraiment ces dix minutes pendant lesquelles il savoure l'odeur de noix de coco de votre shampoing et entend le son cristallin de l'eau pendant que vous chantez votre chanson préférée.

Maintenant, gardez à l'esprit que vous n'êtes *pas obligée* de faire tout cela. À n'importe quel âge, vous pouvez en fait mettre votre bébé dans son lit ou son parc en toute sécurité et prendre une douche rapide. Si c'est nécessaire pour votre santé mentale, votre image de vous-même ou vos plans de la journée, faites-le et revenez vite pour un câlin en peignoir de bain, chaude et sèche. Que vous le quittiez de temps en temps, mais reveniez toujours, fait partie du processus d'apprentissage.

[N°] 18 L'ALLAITEMENT NE DOIT PAS ENVAHIR *votre* VIE

Si vous allaitez, il est inévitable d'être obsédée puisque, au début, vous le nourrirez probablement toutes les deux heures. Vous aurez l'impression, à chaque fois que vous aurez terminé, qu'il est temps de recommencer et vous vous demanderez : « Comment arriverai-je un jour à sortir de cette maison ? » Avant d'aller où que ce soit, vous devrez réfléchir : « Combien de temps cela va-t-il prendre ? Où vais-je le nourrir ? Comment dois-je m'habiller ? »

Mais la maman expérimentée ne peut laisser les désagréments de l'allaitement régir sa journée et, par conséquent, elle s'organise. Tout dépend jusqu'à quel point vous êtes à l'aise pour donner le sein dans des endroits « inhabituels ». Un autre facteur intervient : êtes-vous disposée à tirer votre lait et à le stocker et/ou à le remplacer de temps à autre par du lait infantile dans votre cycle quotidien d'allaitement ?

TRUC DE PARENT RÉCIDIVISTE

Une fois que vous aurez introduit le biberon, vous gagnerez du temps... pourvu que vos seins coopèrent. Les premières fois que vous sauterez une tétée, vous aurez peut-être des fuites de lait. Gardez dans votre sac des coussinets et un chemisier propre.

Si vous hésitez à donner le sein en public, vous pouvez investir dans un ou deux hauts qui offrent des ouvertures discrètes sans avoir à relever toute la chemise. (Les chemisiers boutonnés entièrement sur le devant peuvent tout à fait convenir.) Vous pouvez aussi fabriquer des hauts adaptés en découpant un trou pour chaque sein dans un vieux tee-shirt et le porter sous un autre haut. Vous pouvez également emporter des petites couvertures ou des langes. N'hésitez pas non plus à demander s'il existe, dans le restaurant, le magasin ou le centre commercial, des toilettes pour dames aménagées ou une salle à langer. Votre voiture est une excellente solution de repli : vous y disposez de la climatisation, de la radio et de votre téléphone portable pour vous tenir compagnie, d'un minimum d'intimité et de l'accoudoir qui est souvent à la hauteur idéale pour reposer votre coude.

TRUC DE PARENT RÉCIDIVISTE

Il n'est pas interdit de regarder des émissions spéciales à la TV ou de lire des magazines pendant que vous allaitez à la maison au lieu d'observer votre bébé ; franchement, vous n'êtes pas obligée d'être une maman zen en permanence.

Si vous préférez vraiment rester à la maison pour donner le sein, vous trouverez un réconfort dans la perspective de tétées de plus en plus espacées !

Voir aussi « Vous pouvez confier votre enfant à des proches » (p. 127) et « Le lait infantile est excellent » (p. 41).

VOUS N'AVEZ PAS TOUJOURS à changer LA COUCHE LA NUIT

Nous nous rappelons les changements de couche systématiques de notre premier-né quand il s'éveillait pour ses repas au milieu de la nuit. Nous pensions simplement que nous étions censés le garder sec toute la nuit. La vérité est qu'avec les couches actuelles, ce n'est généralement pas nécessaire ; cela ne sert qu'à réveiller le bébé (et vous) plus qu'il n'est nécessaire pour le nourrir. Utilisez plutôt le « test du sniff » des parents expérimentés : si vous le sortez de son lit et ne reniflez aucune odeur suspecte, ne vérifiez même pas sa couche. (Au réveil suivant, le cas échéant, ajoutez une légère pression sur la couche pour voir si elle est vraiment pleine ou si elle a fui et changez-la au besoin.)

« Je ne voulais pas que mon bébé ressente le moindre inconfort ; je changeais donc sa couche quasiment à chaque tétée. Pour une nouvelle maman épuisée, même ce petit effort semblait gigantesque. Quand ma fille est née, deux ans plus tard, nous lui avons simplement mis une couche de la taille supérieure la nuit, qui pouvait contenir davantage. Je ne la changeais pas à moins que cela ne soit particulièrement odorant. Nous nous rendormions beaucoup plus vite toutes les deux. »

ANNE, MAMAN DE DEUX ENFANTS DE 4 ET 2 ANS

LAVEZ LE LINGE DE TOUTE la FAMILLE ensemble

Pensez-vous qu'un parent expérimenté envisage un instant de séparer le linge du bébé de celui du reste de la famille, et encore moins d'acheter une lessive spéciale ? C'est hors de question ! Quand vous aurez le numéro deux, cette notion aura le même écho que la séparation des couleurs claires et foncées ; actuellement, nous sommes soulagés de tout entasser dans la machine. En tout cas, il n'est pas nécessaire que le bébé ait sa lessive à part. À moins qu'il ne souffre d'une affection cutanée avérée et que le pédiatre recommande l'utilisation pendant quelques semaines d'une lessive anallergique pour bébés, ne vous ajoutez pas de travail inutile. (Et, à propos, si son pyjama n'est pas mouillé en raison d'une fuite de couche, il n'y a aucune raison qu'il ne le garde pas toute la journée.)

> ***« Pour ma première fille, chaque vêtement et article de literie était lavé avec de la lessive hypoallergénique ; même ma mère insistait sur ce point. Pour le numéro deux, tout a été plongé dans l'Ariel et voilà ! Elle n'a pas eu d'éruption d'horribles boutons, n'a pas été malade et n'a même pas remarqué la différence.***
>
> **PAULA, MAMAN DE DEUX ENFANTS DE 4 ET 1 ANS**

[Nº] 21 VOUS N'AVEZ PAS À STÉRILISER TOUS *les* OBJETS

Les numéros deux vivent dans une maison remplie des jouets, livres et vaisselle de leurs frères ou sœurs... et de leurs microbes. Non seulement vous n'avez pas le temps de faire une fixation sur la stérilisation, mais vous vous rendrez bien compte que, quand un bébé vit avec un enfant qui marche, va à l'école ou va jouer chez des copains, il n'y a aucune chance de garantir cette bulle stérile qui a peut-être été un objectif la première fois. Évidemment, stérilisez les biberons et les tétines que vous utilisez pour la première fois. (Faites simplement bouillir le tout pendant cinq minutes.) Mais, quand il va commencer à ramper, il va commencer à explorer, essentiellement avec sa bouche, et les parents expérimentés savent qu'on ne peut pas espérer que tout ce qu'il va lécher soit propre.

« Une fois qu'un bébé commence à porter des choses à sa bouche, il est inutile de stériliser : un jouet relativement propre chez vous sera porteur de plus de microbes que n'importe quel biberon ou tétine, dit une maman de trois enfants. À ce stade, je me contente de laver les biberons et les tétines à l'eau savonneuse chaude pour l'usage quotidien et je les mets dans le lave-vaisselle sur le programme intensif à 70 °C une fois par semaine. » Lavez également les jouets « de bouche » comme les poupées en plastique dur, les cubes et les jouets de bain toutes les deux semaines. Mais stériliser tout ça ? Ne vous tracassez pas !

VOUS NE POUVEZ PAS TOUT MAÎTRISER

L'état de parent ouvre la porte sur un monde de « Et si... » anxiogènes. Tous les nouveaux parents vérifient que leur bébé respire toujours quand il dort. Tous les nouveaux parents voient leurs enfants entrer dans le monde et deviennent douloureusement conscients de tous les dangers potentiels. S'agissant de nos propres vies, nous nous sommes adaptés ; après tout, notre survie repose sur le fait que nous quittons la maison tous les jours, en nous inquiétant sur ce qui peut nous advenir pendant notre trajet. Mais un bébé arrive et tout semble différent. Il y a une autre entité comme objet d'inquiétude, sans défense en outre, et dont vous êtes totalement responsable. Vous avez probablement entamé le cycle de l'inquiétude parentale pendant la grossesse en lisant des statistiques, vous demandant encore et encore : « Et si... ».

Les parents expérimentés ne sont pas immunisés contre ce souci constant pour leurs enfants, loin de là. Mais ils sont passés par les premières peurs et surprises. La condition de parent vous apprend que la vie est une belle chose mais que sa quiétude est fragile. Soyez vigilant, au maximum de vos capacités, quand il est question de la santé et de la sécurité de votre enfant. Protégez-le autant que la prudence l'exige. Élevez-le bien et avec confiance. Mais ne lui apprenez pas à vivre dans la crainte de ce qui pourrait arriver. Efforcez-vous de vous libérer de l'inquiétude constante à propos de ce que vous ne pouvez ni prédire ni contrôler.

DÉPLOYEZ TOUS LES MOYENS POUR SORTIR d'une MAUVAISE PASSE

Un couple de nouveaux parents a admis avoir enfin réussi à faire dormir leur bébé en l'emmaillotant étroitement dans une balancelle mécanique qu'ils ont fait fonctionner toute la nuit. Un autre couple laisse son bébé dans son siège auto plutôt que dans son luxueux lit à barreaux où il se retournait et se réveillait. D'autres parents s'inquiètent de devoir utiliser une couverture d'emmaillotage pour calmer leur bébé : « Cela ressemble à un tour d'Houdini, admet le jeune papa. Mais cela fonctionne, donc nous ne pouvons pas arrêter. » D'autres avouent qu'ils posent le bébé devant un lave-vaisselle en fonctionnement (même s'il est vide) ou s'asseyent avec lui sur le lave-linge en mode « essorage » car c'est un moment où il ne pleure jamais.

Les parents trouvent plein de solutions bizarres pour endormir leur enfant ou simplement stopper ses pleurs : de longs tours en voiture, même en pleine nuit ; des expériences avec des balancelles, des écharpes de portage et des gigoteuses ; des promenades ridiculement longues avec divers porte-bébé ou poussettes ; le bruit blanc ; les gaufres congelées ou les cuillers à mâcher pour quelques minutes de calme. Vous citez une astuce, un parent l'a essayée. Et voici les quatre mots que vous entendrez sans cesse dans la bouche des parents expérimentés : *tout ce qui marche*. Et ne vous dites pas que vous n'êtes pas à la hauteur parce que vous n'arrivez pas à calmer votre bébé en le berçant simplement dans vos bras. Inutile de se cacher le fait que certaines routines absurdes fonctionnent parfois quand rien d'autre n'a d'effet. Vous devrez parfois avoir recours à des gadgets extérieurs ou des astuces pour sortir d'un moment difficile – et les parents expérimentés n'y réfléchissent pas à deux fois.

> *« Ne vous laissez pas trop prendre par chaque étape difficile du développement d'un bébé. Je me rends compte maintenant que ces phases passent si vite qu'au moment où vous avez trouvé une solution, vous êtes entrée dans la phase suivante. »*
>
> **JANE, MAMAN DE TROIS ENFANTS DE 10, 6 ET 1 ANS**

Si vous vous inquiétez d'un effet néfaste possible, parlez-en au pédiatre pour une vérification. Au final, votre médecin est le seul avis extérieur qui compte – oubliez donc ce que dit votre belle-mère. Si votre bébé ne vous laisse en paix aujourd'hui que lorsqu'il est emmailloté dans son transat vibrant, à côté de la douche qui coule et avec du Mozart en bruit de fond, n'hésitez pas à le satisfaire ; après tout, vous serez probablement obligée de trouver autre chose la semaine prochaine.

PROGRAMMEZ VOS LOISIRS pendant VOTRE CONGÉ

Pendant votre congé maternité ou paternité, il se peut que, passé les premières semaines, vous vous sentiez frustré, tendu, piégé ou seul. Vous commencerez peut-être à sentir le besoin urgent de relations avec des adultes, de journées plus structurées et de vous épanouir dans d'autres tâches que la lessive. C'est alors que vous saurez qu'il est temps de vous aventurer un peu plus dans le monde et de vous livrer à des activités que vous appréciiez avant la naissance de votre bébé. Évidemment, les parents de deux ou plusieurs enfants ont l'habitude de faire participer leur bébé à certaines activités de leurs frères et sœurs. Mais il est temps aussi de programmer des jeux d'adultes !

Prendre un café avec des amis est une excellente façon de reprendre une vie sociale, d'autant plus que beaucoup d'enfants font un somme en fin de matinée. Choisissez le moment idéal, mais, même si votre bébé vous pose un problème le jour dit (ce qui sera probablement le cas), ce genre de rendez-vous est généralement facile à déplacer. Organisez-vous progressivement pour déjeuner avec des amis, d'anciens collèges ou votre conjoint.

Le shopping est également une excellente activité avec un tout-petit ; s'il est éveillé, il a plein de choses à voir et de nombreux magasins pour enfants disposent de salles équipées de tables à langer et souvent un endroit confortable pour les mamans qui allaitent. N'oubliez pas de vous offrir quelques jolies choses au passage. Essayez aussi les longues promenades dans les environs ou les parcs pleins de charme, les visites de musées ou de galeries que vous aviez l'intention de faire depuis des années, et les petites fêtes avec des parents que vous avez rencontrés.

Il est excellent aussi d'emmener votre bébé à un rendez-vous complètement superflu qui vous permet de vous occuper de vous pendant trente à soixante minutes de votre très, très longue journée. Mamans, pensez à vous échapper de votre maison (probablement en fouillis) pour faire polir vos ongles, éclaircir vos cheveux, mettre en forme vos sourcils ou vous faire maquiller au rayon « parfumerie » d'un grand magasin. Si vous hésitez à emmener votre bébé, téléphonez d'abord; mais que peut-il arriver au pire? : qu'il commence à pleurer pendant que votre vernis sèche? que vous deviez commencer à l'allaiter pendant que votre couleur prend? On a vu des choses plus abominables, et habituellement ces endroits sont fréquentés par des femmes compréhensives et qui peuvent même faire de drôles de grimaces ou distraire votre bout de chou pendant quelques minutes.

> *« Pour le troisième, j'ai organisé un partage de nounou avec une autre maman plusieurs heures par semaine, pour avoir un peu de temps à moi. »*
>
> **JANE, MAMAN DE TROIS ENFANTS DE 10, 6 ET 1 ANS**

N'OUBLIEZ PAS de NOURRIR les ADULTES

Alors qu'ils peuvent se focaliser sur le nombre précis de grammes que le bébé consomme par jour, les nouveaux parents oublient souvent de se nourrir eux-mêmes. Et il est plus important que jamais de bien manger pour affronter les astreintes des soins à un tout-petit. Vous ne pouvez pas contrôler le manque de sommeil, par exemple, mais vous *pouvez* contrôler l'alimentation de votre corps.

Les parents expérimentés savent que vous avez besoin d'avoir sous la main des aliments sains et énergétiques prêts à être consommés ; c'est une responsabilité importante à confier à un(e) ami(e) ou un membre de la famille serviable. Faites le plein de barres énergétiques, de fruits secs, d'œufs durs, de poulet froid découpé, de yaourts, de pommes, de bananes, de carottes en bâtonnets et de petits pains aux céréales variées. Pensez à des aliments faciles à saisir et manger d'une seule main ; si vous devez couper le poulet ou éplucher les carottes, par exemple, vous n'y arriverez jamais, surtout au cours des premières semaines.

Quand des amis vous demandent ce qu'ils peuvent apporter, plutôt que des fleurs, demandez-leur ce genre d'articles, aussi bien que des soupes, des plats mijotés, un poulet rôti ou même des plats préparés congelés. Prévoyez l'approvisionnement de votre frigidaire et des placards, que ce soit par livraison ou en sollicitant les proches qui passent au marché. Tout cela vous évitera la tentation d'absorber des calories vides de « fast-food » à 21 h, quand vous êtes épuisé et affamé.

Une nouvelle maman a essentiellement besoin de protéines et de calories. Si elle allaite, elle brûle 500 calories supplémentaires par jour et, de toute manière, son corps est soumis à rude épreuve pour se remettre et se reconfigurer après cet événement majeur qu'est l'accouchement. Elle a également soif en permanence ; ayez donc des bouteilles d'eau à disposition partout dans la maison et des jus de fruits dans le frigidaire. La voiture, le sac à langer, la table de nuit et la table à langer doivent être des réserves d'en-cas, comme des mélanges de fruits séchés et de céréales, des amandes ou des barres énergétiques, avec une bouteille d'eau.

Même si votre garde-manger est bien garni, il existe au début un autre obstacle à une bonne alimentation : pour une raison quelconque, de nombreux nouveau-nés ressentent le besoin de brailler dès que vous tentez de porter un aliment à votre bouche. Nous avons des souvenirs vivaces de notre première-née hurlant dans sa gigoteuse pendant que nous avalions des cheeseburgers le plus vite possible. En fait, nous nous sentions coupables de manger devant elle qui semblait si furieuse. Quelle que soit la raison qui fait exploser de rage votre bébé – peut-être le moment de la journée, peut-être la jalousie de vous voir déguster un aliment délicieux dont il ne peut profiter, peut-être une réaction primitive et inexplicable –, rappelez-vous que vous devez prendre du temps pour vous occuper de votre santé... même s'il y a un prix assourdissant à payer. Qu'allez-vous faire : nier vos propres besoins physiologiques ? Pas question. Conservez vos forces et un bon fonctionnement de votre corps en vous alimentant correctement – et peu importe ce qu'en dit votre bébé.

Essayez différentes méthodes pour savourer un repas sain au cours de ces premiers mois où votre enfant ne consomme pas encore d'aliments solides. Proposez-lui de mâchonner et de jouer avec des ustensiles de cuisine sans danger ou installez-le devant une caisse de jouets. S'il ne se tient pas encore droit, installez-le dans un transat ou un siège auto et faites-lui écouter un nouveau CD, ou posez-le devant un miroir ou un mobile. Accrochez de nouveaux jouets sur son tapis d'éveil, de préférence ceux qui ont un lien avec le repas. Si rien ne réussit, vous et votre partenaire pouvez manger en paix à tour de rôle ou choisir de vous offrir, certains soirs, un agréable dîner en tête à tête après avoir couché le bébé. Rappelez-vous que ce n'est qu'une étape et que, bientôt, il vous rejoindra à la table familiale. Vous aurez alors une multitude de *nouveaux* sujets pour vous distraire de votre repas.

Voir aussi « Après la “livraison”, faites-vous livrer » (p. 28) et « Les boules Quies® sont vos amies » (p. 154).

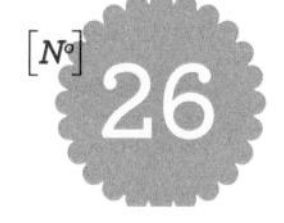

DORMEZ QUAND votre BÉBÉ DORT

C'est sans doute le conseil le plus seriné par toutes les mères, y compris la vôtre. Si vous avez l'impression d'être tellement occupé que vous ne pouvez vous brosser les dents ou envoyer des e-mails que pendant le sommeil du bébé, méditez ceci : quand vous aurez votre second bébé, vous ne pourrez *jamais* suivre ce conseil. Vous aurez un second enfant, probablement un petit chahuteur, après lequel vous courrez pendant la sieste du nouveau-né. Donc, posez-vous. Si vous n'arrivez pas à sommeiller, allongez-vous et lisez un magazine. Regardez votre série préférée à la télévision. Ou contentez-vous de fermer les yeux et de méditer. Rappelez-vous que des dizaines de générations de parents ne peuvent pas se tromper. Tout peut attendre pendant que vous vous reposez.

[Nº] 27 NOURRISSEZ VOTRE BÉBÉ AVANT de vous COUCHER

Si votre bébé est arrivé au stade où il dort plusieurs heures d'affilée toutes les nuits, vous pouvez le réveiller pour le nourrir avant de vous coucher et gagner ainsi un peu de temps. Voici un exemple : supposons que votre bébé s'endorme vers 20 h et ne s'éveille pas avant 2 ou 3 h du matin, soit une plage de 6 heures environ ; supposons que votre heure de coucher normal soit 23 h. Essayez de le pousser délicatement et proposez-lui le sein ou le biberon. La plupart des bébés se réveillent juste assez pour manger, sans être pleinement conscients ; vous pouvez donc lui donner un peu plus de lait et le replacer directement dans son lit. L'objectif est que ces six heures de sommeil se rapprochent de votre propre programme ; cela signifie que, s'il mange à 23 h, il peut dormir jusqu'à 4 ou 5 h et parfois (vraiment !) 6 ou 7 h.

Demandez à votre pédiatre de vous confirmer que cela ne bouleverse pas le rythme global d'alimentation de votre bébé. Puis, aussi dur que ce soit de secouer un bébé qui dort, faites un essai.

S'il s'y accoutume, vous pourrez éliminer le repas de 3 h pour de bon !

VOUS POUVEZ VOUS PASSER d'un JOURNAL DE BÉBÉ

« Le journal de bébé de Lucie est un fourre-tout » admet une maman à propos de son deuxième enfant. « J'y mets tout en m'imaginant que j'y reviendrai un jour. » L'idée n'est pas mauvaise, même pour votre premier enfant. En cette époque de photos numériques et de vidéos, d'albums en ligne, de blogs de bébé et de pages Web personnelles, est-il vraiment nécessaire d'imprimer, de découper et de coller une kyrielle de tirages sur papier ? Nous avons fait un sérieux effort pour notre premier enfant pour finalement nous sentir horriblement coupables quand nous nous sommes rendu compte (à la naissance du second) que nous nous étions arrêtés à son cinquième mois. Quand aurions-nous le temps de faire défiler des centaines de photos numériques et de les imprimer ? Et cela concernait un enfant qui avait déjà son propre site Web assez sophistiqué, avec des photos classées par ordre chronologique pour le plus grand plaisir de la famille et des amis vivant au loin.

Projetons-nous deux ou trois ans plus tard… Avons-nous imprimé une seule photo de notre seconde fille ? Laissez-moi seulement vous dire que nous avons eu des photos dans nos portefeuilles quand elle a fêté ses 10 mois. La version de la page Web de sa sœur ? Il contient les photos de l'hôpital, un point c'est tout. Le journal de bébé n'est pas en vue. Nous avons fini par l'accepter. Et tout comme nous aurions adoré qu'il en apparaisse un par magie, nous savons maintenant qu'il y a des choses bien plus importantes desquelles se préoccuper.

Les parents expérimentés ont découvert divers compromis au traditionnel livre de bébé qui pourraient vous aider la première fois :

- **La méthode du tiroir.** Consacrez un tiroir de table de nuit ou de commode à votre bébé. Vous y entasserez vos faire-part, photos, cartes de cadeaux et courbes de croissance...

- **La méthode de la boîte.** Identique à la précédente, mais dans une boîte à chaussures, une pochette cadeau recyclée ou un dossier accordéon. Un bon point si vous trouvez un joli contenant et si vous le personnalisez au nom du bébé.

- **La méthode numérique.** Grâce à la magie du Web, il est facile de mettre vos photos en ligne et d'éviter les plaintes de votre maman qui n'a pas vu le bébé depuis des semaines. Et si vous avez des proches qui ne disposent pas d'un ordinateur, il est facile de commander des tirages en ligne au lieu d'attendre de penser à acheter du papier photo, d'imprimer les photos et de les découper. Également plus rapide que le journal de bébé et plus facile à partager.

La méthode du journal. Au lieu de jongler entre un album de photos et un journal de bébé, nous avons choisi un journal à reliure de cuir pour chacune de nos filles. Ils sont posés sur une table basse du salon où ils sont à portée de main. Quand nous y pensons, nous notons en vrac des moments importants ou drôles, des réflexions ou des sensations, même ce qui se passe dans le monde. De temps à autre, nous collons une photo. Maintenant que nous avons un second enfant, nous adorons feuilleter le journal de sa sœur aînée et voir où elle en était au même âge. Pour nous, parcourir ce que nous avons écrit spontanément deux ans auparavant est beaucoup plus précieux que voir un livre de bébé parfaitement réussi.

La méthode du mail. Créez une adresse mail pour votre bébé et ainsi vous, vos parents et vos proches pourrez lui envoyer des messages avec des histoires, des souvenirs et les chroniques de premiers pas dans tous les domaines. Il est plus facile d'écrire rapidement un mail, même au travail, et votre bébé recevra une profusion de points de vue sur sa première année, faciles à archiver et à partager.

LA FAMEUSE « CRISE DU SOIR » N'EST PAS un MYTHE

Oui, votre bébé aura son moment infernal : une ou deux heures en fin de journée pendant lesquelles il sera particulièrement agité et difficile à satisfaire. Ce sera vraisemblablement vers 17-19 h – ce qui ne coïncide pas par hasard avec l'heure des cocktails pour les adultes. (Nous l'appelons *unhappy hour*, « l'heure malheureuse ».) C'est vraiment fâcheux car cela tombe précisément quand un ou les deux parents reviennent en hâte du travail, impatients de voir le bébé qui leur a manqué toute la journée ; et voilà que celui-ci hurle sans pitié et sans raison apparente. Les nouveaux parents peuvent capituler, écouter les cris soir après soir, promener et bercer interminablement le bébé en se sentant inutiles et en se demandant même s'il a un problème d'ordre médical. Les parents expérimentés, quant à eux, reconnaissent immédiatement cet état et savent qu'il s'agit d'un mécanisme de défoulement normal chez les tout-petits quand arrive la fin de la journée. (Un peu à la façon dont vous vous épanchez et vous plaignez après le travail.)

Appelez votre médecin ou une assistance médicale en ligne si vous sentez que le malaise de votre bébé dépasse la traditionnelle crise du soir ; s'il reste inconsolable après que vous avez satisfait tous ses besoins, il est important d'écarter l'hypothèse d'un quelconque problème de santé. De même, des cris très forts, intenses et constants, jusqu'à trois heures d'affilée, trois jours par semaine à la même heure (souvent accompagnés de poings crispés et de jambes repliées), peuvent signaler des coliques pour lesquelles votre médecin pourrait avoir d'autres conseils. Le bilan de santé est positif et le bébé est toujours agité ? Vous êtes face à une crise du soir.

Quand vous ne savez plus que faire, pensez à deux choses. D'abord, tous les parents du monde ont le même problème à la même heure et ils sont tous aussi éreintés que vous : êtes-vous sensible à cet élan de solidarité internationale ? Ensuite, comprenez qu'il s'agit de l'un de ces nombreux moments où il est peut-être impossible pour des parents de régler un problème. Votre bébé doit traverser cette crise et tout ce que vous pouvez lui offrir est votre présence réconfortante.

Heureusement, les bébés passent l'âge de ces crises vers 3 mois (bien que cette heure du jour soit rarement la meilleure pour les bébés et les petits). En attendant, tentez les suggestions suivantes pour apaiser ce vacarme infernal.

- **LA MUSIQUE.** Essayez n'importe quel style, du hard rock au classique ou à la soul et montez le son quasiment au maximum. Certains bébés réagissent bien au bruit blanc (de votre aspirateur) ou aux parasites (de votre vieille radio).

- **LE CALME.** Si la musique a un effet négatif, essayez le contraire : bercez-le dans une pièce calme et sombre, avec peu de stimulation.

- **L'AIR FRAIS.** L'air frais peut parfois surprendre le bébé et calmer la crise. Ne vous donnez pas la peine de l'emmitoufler ; même un pas à l'extérieur en pyjama peut suffire, quel que soit le temps.

- **LE MOUVEMENT.** Marchez avec le bébé, bien au chaud dans le porte-bébé (autour du pâté de maisons en effectuant même des allers et retours dans le couloir), faites-le sauter sur un ballon, faites un tour en voiture ou bercez-le dans différentes positions. Vous asseoir avec lui sur un lave-linge en fonctionnement peut même agir sur son humeur, et vous serez multitâche !

- **Le contact de la peau.** Essayez de tenir le bébé bien serré contre votre peau nue.

- **Le changement de décor.** Rien ne vaut un changement de décor pour améliorer l'humeur d'un petit, qu'il ait 4 semaines ou 4 ans. Emmenez-le dans une autre partie de la maison, faites le tour du garage, montrez-lui quelque chose caché dans un placard qu'il n'a jamais vu auparavant.

> *« Quand vous essayez de calmer un bébé en crise, rappelez-vous que c'est le seul moment où les conseils ridicules peuvent peut-être vous aider vraiment. Tant que ce n'est pas dangereux sur le plan physique, autant essayer. Et, au fil des tentatives, vous apprendrez à mieux connaître votre bébé : vous verrez s'il préfère être bercé ou rebondir, le hard rock ou la musique douce, l'obscurité ou la lumière vive.*
>
> **Anna, maman de deux enfants de 5 et 3 ans**

Certains bébés ont des crises du soir plus violentes et plus longues que d'autres, et il semble que cela soit un hasard. Si les parents expérimentés n'ont pas de solution, ils ont une approche différente : ils ne prêtent pas forcément attention aux décibels. Si votre bébé est nourri, a fait son rot, et s'il est sec mais simplement incapable de retirer le moindre réconfort de votre présence pendant sa crise du soir quotidienne, vous *pouvez* le mettre dans son lit ou son parc et vous éloigner du vacarme pendant un moment. Les parents expérimentés le font régulièrement.

« Nous ne le supportons pas certains soirs car cela tombe au milieu du dîner de famille, explique une maman de trois enfants Si je ne peux pas calmer le bébé, il va dans son lit à l'étage pendant que nous mangeons. »

Voir aussi « Vous pouvez éteindre votre écoute-bébé » (p. 100), « Les boules Quies® sont vos amies » (p. 154) et « Vous pouvez laisser votre bébé pleurer » (p. 166).

IL ARRIVE QUE LE PAPA se sente EXCLU

« C'est moi qui ai dû accoucher, peuvent penser les jeunes mamans, et maintenant je suis censée m'inquiéter pour mon mari ? » Eh bien, oui. Ne l'oublions pas. Avec tout cet attachement entre la mère et le bébé, surtout s'il est nourri au sein, le papa a très peu de lien physique avec le bébé. En outre, quand les nouveau-nés ne sont pas en train de manger, ils sont souvent en train de dormir et par conséquent intouchables.

S'il a la chance d'être en congé de paternité, le papa peut se trouver dans la situation insolite d'être à la maison en milieu de journée, totalement désœuvré. Si, comme beaucoup, il aime s'occuper et avoir un projet, il risque d'être désemparé. En plus de cela, il aimerait simplement être impliqué dans la vie de son bébé mais se sent freiné à tout bout de champ. Tout cela va le rendre malheureux. Les mamans pourraient mal interpréter ces lignes et se demander : « Quel est son problème ? Ce n'est pas lui qui nourrit cet enfant toutes les deux heures ! » Vous pourriez même vous irriter de le voir faire des tâches ne concernant pas le bébé ou être amère de l'entendre ronfler paisiblement quand vous vous recouchez après un repas nocturne de plus.

> ***« Les papas peuvent être frustrés quand ils essaient d'aider à donner le biberon, surtout quand le bébé le refuse… mais rappelez-vous qu'un bébé n'est jamais mort de faim à côté d'un biberon. Persévérez et le bébé apprendra à s'adapter. »***
>
> **SCOTT, PAPA DE DEUX ENFANTS DE 7 ET 4 ANS**

À l'arrivée du second bébé, le papa est mieux préparé à la vie avec un nouveau-né et il a appris à aider sans se frustrer ni frustrer sa partenaire. En outre, le père se charge souvent de la responsabilité de l'aîné – ce qui lui donne le sentiment d'avoir un but.

Donc, comment faire mieux participer le papa à la vie du premier bébé ? Veillez à ce qu'il passe beaucoup de temps à tenir, baigner, changer et habiller le bébé. Laissez-le se promener avec lui dans le porte-bébé, l'emmener faire un tour en poussette ou faire un saut dans un magasin pendant que vous vous reposez. Expliquez-lui les bénéfices du contact peau à peau et faites-lui passer un moment avec le bébé sur sa poitrine nue – un petit plaisir vraiment délicieux. Les papas semblent également avoir un chromosome spécial qui leur permet de faire une sieste à deux sur le canapé avec une émission de sport en fond sonore. Encouragez la formation des liens affectifs par tous les moyens possibles.

TRUC DE PARENT RÉCIDIVISTE

Nombre de papas aiment sentir sur leur petit doigt le geste de succion instinctif du nouveau-né. Coupez-lui les ongles court, limez-les et polissez-les en vue de l'arrivée du bébé (ou, mieux encore, offrez-lui une séance de manucure prénatale en même temps que la vôtre).

Par exemple, chez nous, notre premier bébé se réveillait vers 5 h pour un petit moment, mais pouvait se rendormir dans nos bras. C'est devenu la responsabilité du papa, acceptée avec enthousiasme ; avant d'aller se coucher le soir, il préparait un nid douillet dans le fauteuil relax du salon et, à l'aube, il filait au rez-de-chaussée avec le bébé et le câlinait pendant une heure ou deux. Cela reste l'un de ses meilleurs souvenirs.

Les mamans expérimentées savent aussi mettre le papa au travail. S'il est du genre à aimer se rendre utile, désignez-le comme responsable des tâches annexes aux soins du bébé pendant que vous vous occupez de celui-ci ou qu'il dort. Il peut s'atteler à la préparation des installations de sécurité pour le bébé, la lessive, la vaisselle, les courses ou la cuisine. Il pourrait avoir un don pour improviser des petits plats que vous n'avez jamais soupçonné. Le papa peut également être chargé des photographies, de la vidéo, des faire-part, des cartes de remerciement et de la création de la page Web du bébé. Il peut comparer les prix en ligne de pièces importantes comme le lit et la poussette, rédiger votre nouveau testament, ouvrir un compte pour le financement des études, faire le tour des sites Internet à la recherche de bonnes affaires, ou mettre une annonce pour une garde d'enfant.

De nombreux papas pensent qu'ils apprécient mieux le bébé et se sentent plus utiles après les trois premiers mois. Si vous croyez que cela peut être le cas pour vous, vous devriez envisager la solution adoptée par nombre de parents expérimentés : le papa prend son congé paternité plus tard ou le divise en deux s'il peut s'arranger avec son employeur. De toute façon, après la naissance du bébé, la maison sera probablement pleine de grands-parents et autres visiteurs. Une fois que votre mère sera rentrée chez elle et que les périodes d'éveil du bébé seront plus longues, ce sera sans doute le moment idéal pour que le papa soit à la maison et que vous profitiez ensemble de la vie de famille.

NE CULPABILISEZ PAS D'APPELER le MÉDECIN

Les parents expérimentés savent que l'un des points essentiels à vérifier lors du choix d'un pédiatre est la possibilité d'une assistance 24 h/24, vers laquelle vous pourrez vous tourner pour toute question mineure ou majeure. Même si nous vous recommandons de ne pas vous faire de souci à la moindre petite alerte, ce conseil est plus facile à suivre quand un simple appel téléphonique peut vous rassurer.

> ***« La première fois, j'avais l'impression d'appeler le médecin trop tôt ou trop tard quand le bébé semblait malade. J'avais l'impression d'être soit une angoissée chronique, soit une mère négligente. La seconde fois, j'ai cessé de m'inquiéter de ce que pensait le médecin et j'ai suivi mes intuitions. »***
>
> **Sarah, maman de deux enfants de 8 et 6 ans**

Votre bébé tire régulièrement sur son oreille ? Il bascule vers l'arrière quand il essaie de se redresser ? Cogne-t-il sa tête contre la paroi de son lit toutes les nuits ? Est-il l'ombre de lui-même aujourd'hui ? Les parents expérimentés passeront peut-être outre sur beaucoup de ces comportements ; d'un autre côté, comme ils s'inquiètent beaucoup moins des apparences et d'ennuyer quelqu'un, ils n'hésiteront pas à demander de l'aide quand quelque chose est en dehors de leur « zone de confort ». Avec un peu de chance et avec des réponses claires de votre pédiatre, vous apprendrez à passer outre également. Quelle que soit la cause de votre tracas, vous vous détendrez plus facilement si un professionnel vous indique les symptômes à observer – et que votre bébé ne présente d'ailleurs pas. Rappelez-vous qu'appeler à l'aide ne vous fait pas passer pour un novice surprotecteur. C'est le moyen d'atteindre un objectif : être plus décontracté et sûr de vous.

INUTILE DE CHAUFFER BIBERONS et PETITS POTS

Vous a-t-on offert l'un de ces adorables petits chauffe-biberons et pots ? Rendez-le. Les parents expérimentés ont appris que, quand vous commencez à donner des biberons ou des petits pots, ils peuvent être à température ambiante (voire frais).

« Mes amis ont été choqués quand ils ont appris que je ne m'embêtais pas à chauffer les biberons. Il ne leur est jamais venu à l'esprit d'essayer de donner un biberon froid à leur bébé, dit une maman de trois enfants. J'ai compris cela avec le second bébé et cela donne tellement moins de travail ! »

Non seulement vous économisez une étape – et cette étape peut paraître infiniment longue quand votre bébé hurle –, mais aussi il sera beaucoup moins stressant de nourrir le bébé pendant une balade. Si vous pouvez sortir un biberon de lait maternel de la glacière, dans la voiture ou la chambre d'hôtel, et le mettre directement dans sa bouche, tout le monde est heureux. Voyez les choses sous cet angle : s'il regimbe après plusieurs essais de biberon froid, vous pourrez toujours commencer à le chauffer... mais il sera plus difficile de revenir en arrière si vous avez habitué votre bout de chou à un biberon chauffé.

[N°] 33 FAITES DE VOTRE MIEUX *pour vous* SIMPLIFIER LA VIE

Les parents expérimentés visent avant tout l'efficacité. Ils ont appris que, si vous commencez par faire les choses aussi simplement que possible, vous pourrez toujours les compliquer au besoin. L'inverse est plus difficile. Par exemple, vous pouvez commencer par un rituel de coucher de quinze minutes au lieu de soixante et voir si tout va bien ; vous pourrez toujours le prolonger quand vous en aurez le temps et l'envie. Voyez-vous où nous voulons en venir ?

> ***« Je pense que le rituel du coucher est très important ; avec notre première fille, il consistait à l'endormir tous les soirs au son d'un CD de bruits d'océan. Quand il a fini par s'abîmer, nous en avons acheté un nouveau, mais malheureusement il comportait des sons de corne de brume et des cris de mouettes ; ce fut la fin de l'océan. Ma fille ne l'a même pas remarqué ! Nous n'avons pas pris la même voie avec la seconde. »***
>
> **PAULA, MAMAN DE DEUX ENFANTS DE 8 ET 6 ANS**

Passons en revue divers rituels chronophages appliqués automatiquement aux premiers-nés et qui ne sont vraiment, sincèrement pas nécessaires. Un bain quotidien ? Non. Une vérification des couches à chaque fois que le bébé pousse un cri la nuit ? Non. Cuisiner vous-même les aliments de bébé ? Non. Stériliser tous les objets dans un rayon de quelques centimètres autour de lui ? Non. Laver son linge à part ? Non. Chauffer les petits pots et les biberons ? Non.

Rassurez-vous : il est bon que vous fassiez tout ce que vous souhaitez faire, notamment si votre congé maternité est limité et que cet étonnant nouveau-né est tout à vous. C'est un temps idéal pour consacrer toute votre énergie à votre bébé, et rien d'autre ne semble important. Donc, si certaines routines qui prennent du temps sont superflues mais vous font plaisir, profitez-en. Prenez tout votre temps. Chantez douze chansons pour l'endormir. Donnez-lui son bain tous les soirs. Mais soyez conscient que, si vous maintenez ce rythme pendant toute la première année, il sera difficile de revenir en arrière et de lui faire accepter un régime allégé.

Si à un moment donné vous vous sentez prêt à réduire certaines activités, par volonté ou par nécessité, demandez-vous quels rituels vous et votre enfant appréciez le plus et lesquels pourraient être simplifiés sans trop de problèmes. Commencez par modifier les moins précieux et voyez ce qui se passe. Vous pourriez bien être récompensé par quelques minutes de pause bien méritée pour vous et par un enfant plus adaptable.

[N°] 34

ALLEZ-Y DOUCEMENT avec LA TÉTINE

Certains ouvrages évoquent sur des pages et des pages la tétine et passent en revue toutes les questions que se posent les nouveaux parents :« Est-ce qu'elle retarde l'apprentissage du langage? complique l'allaitement? abîme les dents? Est-ce une béquille des parents? » Les parents expérimentés ont pour leur part une réponse simple à une seule question: « Est-ce que cela semble aider votre enfant à se calmer? — Si oui, employez-la. Si non, ne l'employez pas. » Quand elle n'a plus d'effet ou ne semble plus nécessaire - par exemple, si votre bébé suce son pouce en remplacement -, débarrassez-vous de cet objet.

Certains bébés réclament une tétine uniquement pour dormir, d'autres toute la journée. Certains ne l'apprécient que pendant leurs premières semaines, d'autres n'acceptent de s'en séparer qu'à l'âge de 4 ans (grâce à des histoires compliquées de « fée Tétine »). Les auteurs de livres auront des opinions extrêmement variées, comme tous les parents avec qui vous évoquerez ce sujet. Vous ne saurez à quel point votre bébé est dépendant et ce qui est bon pour vous que quand vous serez dans le feu de l'action. Il y a une seule chose sur laquelle tout le monde est pratiquement d'accord: la tétine n'est pas un « interrupteur » des cris du bébé qui évite de chercher ce qui ne va pas.

Offrir une tétine ou non, l'enlever et quand, sont des décisions personnelles. Au lieu de vous fier aux expériences de vos pairs, faites ce qui vous semble bon et, si vous cherchez une opinion objective, interrogez votre pédiatre.

NE SOYEZ PAS ESCLAVE du RYTHME DE votre BÉBÉ

Avec notre premier bébé, les repas et les siestes étaient réglés comme du papier à musique : nous savions exactement à quelle heure nous voulions être à la maison pour nourrir notre fille ou la coucher et nous n'y manquions pas. En tant que parents novices, nous aimions avoir une structure rigide dans un monde qui était sens dessus dessous. Vous pourriez réagir ainsi. Mais nous sommes ici pour vous rappeler que, même si les bébés aiment la prévisibilité, vous ne devez pas être esclave d'un programme, ni éliminer toute notion d'emploi du temps pour montrer que vous avez conservé votre spontanéité, bien que ceci soit moins courant chez les nouveaux parents. En gros, les deux extrêmes augmenteront votre stress. Établissez plutôt un planning quotidien et soyez conscients qu'il est modifiable en fonction des aléas de la vie.

> ***« Les enfants dorment quand ils ont besoin de dormir, mangent quand ils ont besoin de manger et pleurent quand ils ont besoin de pleurer. »***
>
> GORDON, PAPA DE DEUX ENFANTS DE 10 ET 7 ANS

Par exemple, supposons que vous voulez faire une promenade autour du lac qui durera une heure et demie, mais votre bébé doit manger dans une heure. N'abandonnez pas votre promenade ; voyez s'il peut attendre un peu plus longtemps aujourd'hui (et soyez prête à le nourrir s'il le faut vraiment). Si vous vous rendez dans un endroit où vous ne serez pas à l'aise pour allaiter, donnez-lui une tétée préventive à la maison, même si ce n'est pas encore l'heure. Sachez qu'il n'y a pas d'inconvénient à ce que votre bébé fasse un somme dans la voiture ou une poussette si vous n'êtes pas rentrés à l'heure exacte ; si son sommeil n'est pas aussi bon que dans son lit, il récupérera plus tard. Rappelez-vous que le deuxième (et le troisième, et le quatrième) bébé vit sa vie dans le sillage de ses frères et sœurs et qu'il aura rarement chaque sieste et chaque repas exactement au même endroit et exactement à la même heure. Relâchez un peu les rênes et vous aurez probablement la surprise de constater que votre bébé le prend très bien, même s'il saute une sieste ou si le repas n'est pas idéal ; vous vous sentirez plus à l'aise également.

[N°] 36 HABILLEZ VOTRE BÉBÉ de LA FAÇON la plus PRATIQUE

Le grand avantage d'être un bébé, c'est que vous êtes ado-rable (et élégant) quoi que vous portiez. Pyjama à l'épicerie ? Bien sûr ! Haut à pois et pantalon rayé ? Naturellement. Et en été ? Un simple tee-shirt (ou uniquement une couche) fait un ensemble parfait. Mettez donc de côté toutes ces tenues sophistiquées qu'on vous a offertes, aussi ravissantes soient-elles. Si elles exigent trente secondes de plus pour l'habillage, surtout quand votre bébé sera mobile, vous continuerez à les repousser dans le fond du tiroir et attraperez les mêmes bodies tout doux jour après jour. (Et voici un conseil : s'il n'a pas fait pipi dedans ni bavé dessus, il peut porter son pyjama de nouveau sans problème.)

TRUC DE PARENT RÉCIDIVISTE

Les fermetures à glissière sont mille fois plus pratiques que les pressions, surtout pour les pyjamas une pièce que vous risquez de devoir enlever pendant la nuit alors que le bébé gigote dans tous les sens.

Si vous avez toujours aimé les tenues parfaitement soignées, assouplissez vos exigences en ce qui concerne votre bébé. Voyez-vous, un jour cet enfant insistera pour porter un tutu et des bottes en caoutchouc, même pour le mariage de votre sœur, et mieux vaut vous y habituer dès maintenant. Ne culpabilisez pas au sujet de ces vêtements dont vous n'avez même pas enlevé les étiquettes : vous les offrirez à votre tour ou les donnerez à une association caritative.

En attendant, les parents expérimentés savent que si un vêtement est confortable, adapté aux conditions météo et doté d'une fermeture à glissière, c'est la tenue qui convient quel que soit le contexte.

TOUT EST PASSAGER, absolument TOUT

Qu'est-ce qui vous rend dingo chez votre bébé en ce moment ? Faut-il le porter en permanence et se met-il à hurler dès que vous le posez ? Refuse-t-il le sein ou le biberon ? Est-ce qu'il se retourne dans son sommeil et se réveille dans un sursaut de panique ? Est-il incapable de s'endormir si on ne le berce pas ? Ne fait-il que pleurer, pleurer et pleurer ? Un bébé peut être la créature la plus inexplicable et la plus exaspérante au monde. Vous aurez parfois envie de le jeter par la fenêtre ou, au moins, de partir seul dans votre voiture, sans vous retourner. (Heureusement qu'il est mignon, non ?) Quand vous êtes au bout du rouleau, rappelez-vous une chose simple mais vitale que savent tous les parents expérimentés, au plus profond de leur cœur, même dans les moments les plus sombres : *cela aussi passera.*

TRUC DE PARENT RÉCIDIVISTE

Vous n'avez pas besoin de « maîtriser », quel que soit le stade ou l'âge. Vous devez juste survivre. Il y a toujours une autre phase à savourer et à surmonter qui vous attend au tournant.

Les parents expérimentés, avec le recul de leur expérience, ont pleinement intégré la notion que tout est passager chez les petits. Quel que soit le problème qui vous rend fou aujourd'hui, vous pouvez être assuré qu'il aura un terme, uniquement pour être remplacé par un autre. Si votre bébé ne mange pas bien pendant une semaine, la semaine prochaine il mangera comme un ogre mais ne dormira pas. S'il déteste les bains maintenant, il les adorera dans quelques jours. Il hurle dès que papa arrive ? Le mois prochain, papa sera l'heureux destinataire de ses grands sourires radieux. L'ennui, c'est que les bons moments sont passagers aussi. Quand vous êtes enchanté de constater que votre bébé est bien réglé depuis quelques jours, dort bien, est souriant et satisfait, savourez : ce ne sera pas éternel. Les phases peuvent être longues ou courtes, adorables ou exaspérantes, mais elles commencent dans la petite enfance et ne s'arrêtent jamais. Elles n'ont qu'un trait commun qui est d'être provisoires.

> ***« Après avoir eu trois enfants, je me suis enfin libérée de tous mes sentiments de culpabilité concernant la première-née. Je me suis rendu compte que, même si je n'avais pas fait tout "bien", elle était quand même devenue une enfant de 10 ans extraordinaire et que je ne l'échangerais pas pour tout l'or du monde. »***
>
> **JANE, MAMAN DE TROIS ENFANTS DE 10, 6 ET 1 ANS**

Évidemment, quand vous êtes au cœur de l'action, tout cela est difficile à croire. Mais le jour viendra où vous et votre partenaire vous regarderez et vous dire : « Eh, cela fait deux jours qu'il a..., n'est-ce pas ? » Vous serez tellement concentrés sur cette nouveauté qu'il vous faudra peut-être un moment pour remarquer que le comportement détesté que vous aviez fini par accepter a disparu. Cela peut revenir, et disparaître, et revenir. Mais réjouissez-vous des bons jours.

Vous constaterez peut-être aussi, après la sortie d'une de ces phases, qu'une nouvelle maturité est apparue chez votre enfant. Parfois une étape particulièrement désagréable présage un développement majeur, sur le plan physique, mental ou émotionnel. Essayez donc d'observer – et d'apprécier – le nouvel enfant qui s'épanouit devant vous à la fin d'une phase. Vous pourriez découvrir une nouvelle dent, une nouvelle capacité à passer un objet d'une main dans l'autre, un nouveau son. Votre bout de chou a travaillé dur et supporté une gêne, et voici la récompense : il grandit.

[N°] 38 VOUS N'AIMEREZ PAS *forcément* SON DOUDOU

Les parents expérimentés se divisent en deux camps concernant le « doudou » (ces poupées molles, animaux en peluche ou couvertures adorés qui apportent au bébé un bien-être incommensurable et peuvent provoquer des dépressions graves en cas d'absence) :

1 ***Ceux qui recommandent de ne pas laisser un bébé s'attacher à un doudou particulier. Ils considèrent que c'est une source de problèmes : passer son temps à le chercher partout, penser à l'emporter partout et le remplacer s'il est perdu. Ces parents suggèrent de placer diverses peluches et couvertures dans le lit par roulement, en espérant que n'importe laquelle fera l'affaire.***

Suite ›

2 ***Ceux qui aiment les doudous pour leur faculté à calmer instantanément le bébé. Ils encouragent l'adoption d'un objet qui a votre approbation, c'est-à-dire qui soit petit (donc facile à transporter partout), bon marché et facile à remplacer. Si le bébé commence à s'attacher à un objet qui pose un problème (un drap pour deux personnes, par exemple, ou une édition limité de l'ours Paddington), ils conseillent de l'en détourner sur-le-champ en lui offrant un substitut.***

Je vous l'accorde : vous ne maîtriserez peut-être pas tout. Certains bébés s'attachent plus fortement aux objets que d'autres et leur raisonnement, comme toujours, est inexplicable. (« Pourquoi l'énorme tortue à carapace dure avec une batterie et une patte cassée ? Pourquoi pas cet adorable lapin ? Hé, mon chou, regarde le lapin : il est tellement plus joli... ») Mais vous *pouvez* encourager (ou décourager) l'emploi d'un doudou si vous choisissez votre camp très tôt.

Rappelez-vous, quel que soit l'objet, que votre enfant sera peut-être du genre à l'emporter chez le médecin, en avion et au restaurant ; soyez donc conscient de ce que votre enfant recherche comme objet préféré et, s'il ne vous plaît pas, mettez-le hors de vue et proposez une meilleure alternative. (Heureusement, *loin des yeux* signifie généralement « loin du cœur » la première année ; par la suite, il le réclamera quelle que soit la profondeur du placard où vous l'avez enterré.) Si au bout du compte votre petit s'attache à cet objet, prévoyez l'avenir et achetez-en un en double.

JOUER AVEC VOTRE ENFANT NE SERA *peut-être* PAS NATUREL

« Il m'a fallu du temps pour l'admettre, confesse une maman de deux enfants, mais je ne suis pas douée pour les jeux. Je suis douée pour la lecture et les puzzles maintenant que ma fille est plus âgée. Mais simplement des jeux interminables pendant des heures d'affilée, surtout la première année quand elle ne *faisait* vraiment rien ? Ce n'est pas mon fort. » Si vous regardez votre bébé à 8 h du matin en vous demandant ce que diable vous êtes censé faire avec lui toute la journée, vous n'êtes pas seul dans ce cas.

> ***« Jouez beaucoup. Ce n'est peut-être pas évident quand votre petit hurle au milieu de la nuit, mais il grandit assez vite. Ne vous laissez pas absorber par le ménage : peu importe que la maison soit toujours propre, les jouets bien rangés ou que la buanderie ressemble à un champ de bataille. Jouez autant que vous pouvez, ne serait-ce que parce que les jouets de votre bébé sont probablement plus drôles que ceux que vous aviez à son âge. »***
>
> **PAULA, MAMAN DE DEUX ENFANTS DE 4 ET 1 ANS**

Certains parents sont hypnotisés par le spectacle de leur petit appuyant sans relâche sur le bouton du diable à ressort, alors que d'autres surveillent la pendule. Chez la majorité d'entre nous, la patience et l'énergie nécessaires au jeu sont fonction du jour, de l'humeur et de nos soucis. Tous les parents passent par des moments où ils préféreraient faire autre chose que distraire leurs petits, même s'ils les aiment très fort. Mais, en tant que parent novice, si vous constatez que vous êtes presque toujours tendu, avec l'impression de vous acquitter d'une corvée plutôt que de jouer tranquillement avec votre bébé, essayez de vous détendre. Rappelez-vous que l'état d'esprit est ici totalement différent de tout ce que vous avez connu auparavant, des années d'école axées sur le résultat et du travail pour lequel vous avez été formé. Il n'y a pas de but, hormis de passer un moment de qualité avec votre bébé. Il peut être difficile de s'y habituer. Mais c'est en forgeant qu'on devient forgeron ; en consacrant des moments, assis par terre à côté de votre bébé, à jouer à vous faire coucou, à feuilleter une pile de livres cartonnés ou à mimer des histoires avec des animaux en peluche, vous commencerez à découvrir comment fonctionne votre bébé et ce que vous aimez faire avec lui. Cela dit, de longs moments de jeu ne conviennent peut-être définitivement pas à votre personnalité ou votre tempérament. Dans ce cas, trouvez des moyens de « jouer » tout en faisant autre chose : posez-le sur le sol (ou dans son siège s'il est tout petit) et mettez à sa disposition la batterie de cuisine et des boîtes en plastique pendant que vous cuisinez ou faites la vaisselle tout en lui parlant ou en chantant pour lui. Donnez-lui du papier à chiffonner pendant que vous réglez les factures, écrivez vos mails ou faites votre shopping sur Internet. Proposez-lui un assortiment d'écharpes et posez-le devant votre miroir en pied pendant que vous mettez le linge dans le panier, vous habillez ou rangez votre placard. Et, évidemment, emmenez-le dans toutes vos courses et expliquez-lui tout ce que vous rencontrez en chemin.

Peu importe la notion de performance ; essayez de réserver chaque jour un moment où le téléphone et l'ordinateur sont débranchés, les tâches ménagères en veilleuse, et où vous accordez une attention totale à votre bébé. Si petit qu'il soit, il sent la différence et, quand vous lui offrirez une attention sans partage, il vous récompensera par une expression ou une réaction émouvante et inattendue qui vous coupera le souffle. Cela peut suffire à vous donner envie de jouer jusqu'à l'heure du dîner.

[N°] 40 LAISSEZ VOTRE PARTENAIRE FAIRE à SA FAÇON

Oui, nous nous adressons maintenant essentiellement aux mamans. C'est volontaire. Pourquoi ? Parce que c'est souvent la jeune maman qui regarde par-dessus l'épaule du papa et lui donne des conseils aimables et non sollicités sur la bonne façon de faire les choses, du changement de couche aux jeux en passant par la préparation du biberon. Inutile de préciser qu'une microgestion de ce genre est non seulement inutile, mais encore peu appréciée en général. Elle peut provoquer du ressentiment et de la frustration au cours d'une période déjà chargée sur le plan émotionnel dans tous les couples. Et, indépendamment de la réaction affective du papa, cela ne fera que le dissuader de prendre sa part du travail.

« Je recevais des amis avec leur nouveau-né et la maman a demandé à son mari de changer le bébé car nous étions en pleine conversation, se rappelle une amie. Puis elle l'a suivi à l'étage et l'a surveillé malgré tout. » L'ironie de la situation ? Après lui avoir fait la leçon sur cette couche trop serrée, elle a dû cesser de pavoiser quand il a expliqué qu'il n'avait pas encore changé la couche, donc que c'était *elle* qui l'avait mise de façon soi-disant inadmissible.

Les mamans expérimentées, d'autre part, sont tellement désireuses de grappiller un peu d'aide qu'elles se soucient beaucoup moins qu'on applique leurs méthodes à la lettre. Si le papa, la grand-mère ou la baby-sitter souhaite s'occuper du prochain repas / bain / changement de couche, la maman est ravie ; et, en fait, à moins que quelqu'un ne crie au meurtre, elle n'accordera pas une pensée à la technique. Il en résulte plus de responsabilisation et d'interaction pour les conjoints, amis et membres de la famille, et un enfant qui n'attend pas que tout soit fait à la façon de maman.

Évidemment, cela ne vous empêche pas d'aider votre compagnon en lui expliquant les astuces que vous avez découvertes et les leçons que vous avez tirées de vos tâtonnements – ce qui lui manque sans doute s'il a repris le travail avant vous. Mais, comme pour tous les conseils non sollicités, il y a la mauvaise méthode (« Ne lui verse pas d'eau sur la tête ! Il déteste ça ! Tiens-le plutôt comme ça ! Et pourquoi fait-il si froid ici ? ») et la bonne.

« J'ai découvert qu'il valait mieux faire une suggestion *a posteriori* : par exemple, pendant le dîner ou quand nous bavardions avec d'autres parents sur la façon de faire les choses, dit la maman de deux garçons. Si j'essayais de faire une critique constructive sur le moment, cela tournait à la bagarre et c'était un bon prétexte pour abandonner et me laisser faire. » Ce résultat n'est souhaitable pour personne.

Donc, si votre suggestion n'est pas un impératif de sécurité, tenez votre langue, attendez un moment favorable et formulez-la avec finesse. Si votre compagnon a eu du mal à donner le bain à sa façon, par exemple, essayez ce type d'approche : « Il a fallu que je me batte aussi pour lui laver les cheveux. Ce n'est pas facile. Tu sais ce que j'ai trouvé cette semaine et qui marche ? Je tiens un jouet au-dessus de ma tête, vraiment haut, et, quand elle le regarde, je rince ses cheveux de mon autre main. » Il est probable que cela sera beaucoup mieux reçu que si vous faites irruption dans la salle de bains aux moindres pleurs en exigeant de savoir ce qui se passe.

Le même principe s'applique aux personnes extérieures, baby-sitters ou proches en visite. Alors que vous souhaitez tout naturellement leur donner de nombreux conseils et les informer de tous vos petits secrets originaux – la façon précise dont vous bercez le bébé, la lessive que vous utilisez, les endroits où il aime être chatouillé –, il est important pour eux de savoir qu'ils ne sont pas obligés de vous imiter à la lettre. Les autres intervenants dans la vie de votre bébé ont besoin de trouver leur propre voie et leurs habitudes dans le cadre des règles que vous avez établies. Quelle importance si le pyjama vient avant ou après le biberon, par exemple, pourvu que les deux étapes surviennent ?

Probablement aucune. Sa grand-mère le tiendra d'une certaine façon, la baby-sitter lui chantera une autre chanson que la vôtre dans son bain et, finalement, il attendra ces changements avec plaisir quand il verra ces personnes. Vous pourriez même apprendre vous-même quelques nouvelles astuces.

ADHÉREZ au POUVOIR DU « NON »

Un papa que nous avons rencontré récemment, et dont le troisième enfant est en route, se rappelle : « Avec le premier bébé, vous vous faites des illusions et vous pensez que la vie va être la même, et vous essayez de ne rien changer, vous acceptez les invitations, les voyages... Au deuxième, vous ne vous racontez pas d'histoires. » D'après notre expérience, plus tôt vous comprendrez cette réalité, moins vous serez déçu. Les parents expérimentés ont appris que le fait de dire « non » ne fait de vous ni un raté ni un raseur, que le « non » s'oppose à un événement important comme un mariage à l'étranger ou des vacances de ski avec des amis qui n'ont pas d'enfants, ou même à des projets moins ambitieux, impossibles à réaliser pour une raison quelconque. Vous êtes devenus des parents.

Bien sûr, nous faisons confiance aux baby-sitters et nous efforçons d'emmener toute la famille dans les réunions qui nous tiennent à cœur, mais nous avons aussi appris le pouvoir du « non ». Gardez à l'esprit que vous n'avez même pas à expliquer cette réponse ou à la justifier, ou à fournir des explications interminables sur les siestes ou les otites ; entraînez-vous simplement à dire : « Excusez-nous, c'est impossible cette fois-ci. » Point.

Vous découvrirez que savoir ce qui mérite d'être fait et ce qui ne le mérite pas est un facteur essentiel de survie des parents, ainsi que d'accepter que ces décisions concernent les besoins, les désirs et le bien-être de chaque membre de la famille. Par exemple, nous avons appris à nos dépens qu'un séjour dans un chalet de plage n'était pas une solution idéale pour notre nouveau-né et que papa ou maman se serait mieux amusé(e) s'il ou elle était allé(e) seul(e) à ce mariage lointain. Nous choisissons donc maintenant avec soin, en sachant que nous serons parfois désolés de devoir rater quelque chose. Avec le recul, nous avons rarement regretté d'avoir dit « non » à quelque chose qui semblait demander trop d'efforts à notre famille.

Nous connaissons des parents qui font tout avec leurs bébés – assister à des concerts nocturnes, faire de longs voyages à l'étranger sac au dos – en s'imaginant que le bébé dormira quand il sera fatigué et que tout le monde sera content. Certaines personnes acceptent toutes les opportunités et s'en font une gloire. Vous en ferez peut-être partie, mais probablement non. Et c'est bien ainsi. Parce que, parfois, dire « non » à quelque chose signifie dire « oui » au bien-être de votre famille, sans parler de votre propre santé mentale.

VOTRE VIE est CENSÉE CHANGER

Paniquez-vous à l'idée que votre vie ne sera plus jamais ce qu'elle était ? Avez-vous peur de ne pas pouvoir continuer à travailler au même rythme, voyager, fréquenter vos amis et pratiquer d'autres activités dont vous profitiez avant l'arrivée du bébé ? Vous inquiétez-vous de ne plus avoir le même entrain avec vos amis ou votre partenaire ? Avant de sombrer dans l'abattement ou d'essayer désespérément de tout faire, il serait bon de vous rappeler que votre vie est *censée* être différente maintenant. Vous êtes entré dans une nouvelle phase et une nouvelle phase ne devrait pas être identique. Quelque chose n'irait pas si c'était le cas.

> ***« Vos petits vont vous adorer : ne partez donc pas perdant. Quand les enfants grandissent, ils veulent aimer ce que vous aimez, agir comme vous agissez et faire ce que vous faites. Veillez à ce que leur modèle ne soit pas un paresseux en colère contre la vie et amer envers le monde. Il y a déjà suffisamment d'individus de ce genre sur la planète. »***
>
> **GORDON, PAPA DE DEUX ENFANTS DE 10 ET 7 ANS**

Nous nous rappelons un ami célibataire nous demandant, quelques mois après la naissance de notre premier enfant : « Vous n'avez pas très envie de retrouver votre ancienne vie ? » Et, en réalité, c'était la *question* qui nous perturbait. Qu'est-ce qu'elle signifiait ? Où était passée cette vie antérieure ? Quand étions-nous censés la retrouver et comment ? Avec notre second enfant vint une nouvelle compréhension : il ne s'agit pas de retrouver notre ancienne vie. Ceci *est* notre vie. L'ancienne n'existe plus. Et c'est bien ainsi ; c'est pour cela que vous avez fait ce choix au début.

[N°] 43 VOUS POUVEZ IGNORER VOS PARENTS

« Mets juste un petit peu de flocons de riz dans son biberon : il dormira mieux. »

« Personne dans *notre* famille n'a jamais eu [ajoutez ici une habitude ou une maladie]. »

« Comment ça, elle n'utilise pas de tétine ? »

« Pose-le simplement devant la télévision : c'est relaxant. »

« Tu ne le nourris pas au sein ? »

« Tu l'allaites *encore* ? »

Il n'y a rien de tel que de devenir parent pour que vos propres parents vous tapent sur les nerfs. Savourez le paradoxe. Quand vous aurez votre premier bébé, vous serez peut-être étonné de la fréquence avec laquelle les nouveaux grands-parents vous offriront des conseils non sollicités (et parfois douteux). Ils feront peut-être des commentaires passifs-agressifs, s'interrogeront à voix haute sur votre façon de prendre soin de votre bébé et critiqueront même carrément vos décisions sur un certain nombre de choix d'éducation, de votre retour au travail à l'alimentation au sein ou au biberon, ou encore au choix de dormir avec votre enfant. Cela peut aller jusqu'au point où le seul fait de les voir à la maison vous hérisse le poil et où vous êtes prêt à bondir et à réfuter le moindre témoignage de sagesse. Et même si nous sommes enclins à leur en faire porter la responsabilité, nous nous devons de souligner que personne au monde n'est plus sur la défensive que des nouveaux parents.

C'est compréhensible. Vous vous efforcez tellement de bien faire. Vous avez peur. Vous êtes redoutablement protecteur. Vous êtes aussi extraordinairement fatigué. Et au moins l'un des deux parents a des poussées d'hormones folles. Tout cela peut former un mélange explosif si quelqu'un ose vous proposer une autre façon de faire les choses... surtout vos propres parents. Non mais, pour qui se prennent-ils ?

Détendez-vous. Les parents expérimentés ont encore des problèmes avec les conseils de leurs propres parents, mais ils sont plus aptes à laisser glisser. (Après tout, ils ont réussi à sortir au moins un enfant indemne de l'enfance ; donc, ils savent qu'ils font bien.) Essayez de vous rappeler que, à de rares exceptions près, vos parents essaient seulement de vous aider et qu'ils veulent aussi le mieux pour votre bébé. Cela ne signifie pas qu'ils ont toujours raison, notamment quand ils évoquent leurs propres souvenirs de nouveaux parents – ce dont ils ne peuvent s'empêcher. En vérité, il est impossible que votre papa et votre maman se rappellent chaque détail de votre petite enfance ; vous le découvrirez quand votre enfant aura 2 ans et que vous n'aurez aucun souvenir du moment où il a eu sa première dent : ne prenez donc pas toutes leurs réminiscences pour argent comptant. En outre, les temps ont changé. Ils vous donnent un conseil vieux de trente ans, quand les bébés restaient dans un parc, les mamans n'arrêtaient pas de fumer pendant leur grossesse et les sièges auto n'existaient pas. La science et la vision populaire de l'éducation des enfants évoluent en permanence et vous ne pouvez pas attendre que vos parents soient informés des dernières recherches ou tendances. Croyez-le ou non : un beau jour, vous serez à leur place et vos propres enfants ricaneront de ce que vous faites maintenant.

D'ici là, essayez de garder le sens de la mesure. Rappelez-vous que vous êtes responsable de votre foyer et de votre bébé et que vous n'avez pas à vous justifier de tous vos actes vis-à-vis de vos parents. Si vous n'êtes pas ouvert à la discussion sur un sujet particulièrement sensible, déclarez simplement que vous et votre partenaire avez choisi le mieux pour votre famille – une réponse que même vos parents auront du mal à contester. En ce qui concerne les sujets de la vie quotidienne, ne soyez pas irrité ou sur la défensive au point de refuser d'entendre la moindre parcelle de vérité ou d'intuition venant de la grand-mère ou du grand-père. Ils sont *vraiment* passés par là et vous vous en êtes plutôt bien sorti.

Enfin, si vous n'êtes simplement pas d'accord avec eux, faites ce que font les parents expérimentés : hochez vivement la tête, déclarez « Merci, j'y réfléchirai » et passez à autre chose.

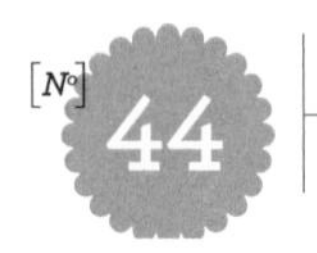

VOUS POUVEZ ÉTEINDRE votre ÉCOUTE-BÉBÉ

L'une des découvertes essentielles des parents expérimentés est que les bébés sont bruyants et – croyez-le si vous voulez – il n'est pas indispensable que vous entendiez absolument tous les bruits. Notre premier bébé reniflait et grognait toute la nuit pendant ses huit premières semaines alors que nous dormions, par intermittence, à quinze centimètres d'elle. Nous avons rapidement compris que, la plupart du temps, elle dormait et n'avait besoin de rien ; cependant nous avons supporté le bruit nuit après nuit. Entre l'obligation de se lever pour ses deux repas et tout le vacarme entre-temps, il y avait peu de chances que nous dormions profondément à un moment quelconque. Quand nous avons passé le cap des trois mois, nous nous sommes fièrement jetés à l'eau et l'avons installée dans sa chambre, de l'autre côté du palier... mais, comme nous utilisions religieusement un moniteur de surveillance, nous entendions *toujours* chaque petit grognement ou frémissement du sommeil paradoxal.

Pourquoi l'avons-nous supporté ? Impossible de vous le dire. (Nous avons aussi établi un diagramme des repas et des couches sales pendant ces premiers mois, et c'était également inutile de toute évidence.) Mais voici l'essentiel : quand votre second bébé arrive, au lieu de vous inquiéter de la méthode pour l'entendre, vous vous demandez comment ne *pas* l'entendre. Nous avons gardé notre seconde fille dans notre chambre pendant les premières semaines, mais l'avons rapidement transférée à un autre étage dès qu'elle a pu passer plusieurs heures sans repas. Nous nous rappelons très bien cette nuit. Nous avons éteint l'écoute-bébé et ouvert la porte de notre chambre ; nous savions que, si elle hurlait vraiment, nous l'entendrions. (Comme l'a remarqué notre pédiatre : « Il n'y a pas d'inconvénient à s'assurer qu'elle a *vraiment* faim avant de la nourrir ; c'est ainsi qu'elle apprend à tenir plus longtemps entre les repas. ») Bien sûr, cela obligeait à descendre un étage au milieu de la nuit pour la nourrir, mais cela en valait la peine car nous dormions profondément pendant les précieuses heures où nous n'entendions pas ses couinements irréguliers. Et elle semblait dormir plus profondément (autant que nous pouvions en juger en tout cas). Toute la famille commença à fonctionner un peu mieux. À dater de ce jour, nous n'avons plus utilisé le moniteur, hormis quand nous quittions la maison et jouions dans le jardin pendant sa sieste. Faites-nous confiance : à moins que vous ne viviez dans un manoir et que votre bébé dorme dans une aile séparée, s'il a besoin de vous, vous le recevrez 5 sur 5.

Si vous n'arrivez pas à vous passer complètement de l'écoute-bébé, il y a des moments où vous devez vraiment l'éteindre : quand vous avez décidé de ne pas aller voir votre bébé. Nombre de jeunes parents, après avoir pris la résolution de laisser leur bébé pleurer pendant dix minutes, s'asseyent à côté du moniteur… et leur tension artérielle augmente. Pourquoi vous torturer ? Aucun son au monde ne vous mettra les nerfs à vif comme les hurlements de votre enfant. La seule solution pour vous accorder une pause et laisser passer les dix minutes est de ne pas l'entendre.

Éteignez le moniteur. Rappelez-vous que votre bébé est en sécurité dans son lit et ne veut rien, répétez-vous le mantra disant que les bébés ont parfois besoin de pleurer et mettez-vous hors de portée du son. Réglez un minuteur et sortez sur votre terrasse ou dans le jardin, dans le garage ou même sous la douche, en tout cas dans un endroit où le son est étouffé. Les boules Quies ou un casque à écouteurs et votre musique préférée sont une bonne idée si votre maison n'offre pas de bonne issue de secours. L'idéal serait de prendre une boisson rafraîchissante, un magazine distrayant, de téléphoner à un proche ou toute autre diversion. Au bout de dix minutes, branchez le moniteur et écoutez votre bébé. Si les pleurs se ralentissent, éteignez à nouveau et vérifiez de nouveau dix minutes plus tard. Si les pleurs s'amplifient, allez lui tapoter le dos ou réconfortez-le à votre façon habituelle, puis repartez et éteignez une fois de plus le moniteur. Répétez l'opération. Quand vient le moment de vous coucher, ouvrez la porte de votre chambre et n'allumez pas le moniteur. Vous pourrez ainsi obtenir quelques heures de sommeil bien mérité et voir votre bébé sourire, frais comme la rose, le matin. Alléluia !

Voir aussi « Les boules Quies® sont vos amies » (p. 154) et « Vous pouvez laisser votre bébé pleurer » (p. 166).

[N°] 45 NE VOUS SOUCIEZ PAS D'ÊTRE immédiatement PRODUCTIF

Vous entrez dans un univers totalement nouveau. Vous n'êtes plus jugé sur ce que vous rayez sur votre liste de tâches ; vous accomplissez une prouesse tous les jours. Et, bigre ! les journées s'envolent ; vous regarderez sans doute l'horloge certains après-midi et vous demanderez où est passé le temps, surtout si vous n'êtes même pas sortis de la maison. Cependant, même pendant le congé maternité ou paternité, certains types de tempéraments ont la sensation qu'ils devraient faire *quelque chose*. Les parents expérimentés voient les choses sous un angle légèrement différent : vous faites quelque chose et, si vous et votre bébé avez mangé et êtes raisonnablement propres, vous en avez fait bien assez, merci.

Donc, si vous n'avez pas le temps de faire ce que vous aviez prévu – un saut à la droguerie, ranger un placard, désherber le jardin –, ne vous tracassez pas. Ou si la liste des tâches ménagères du dimanche est encore sur le frigidaire le lundi, tant pis ! Demain, ou la semaine prochaine, ou la semaine d'après, il sera bien assez tôt. Certains jours, vous et votre bébé avez peut-être simplement besoin de ne pas bouger et de décompresser. Et c'est très bien. Après tout, quand le second bébé arrivera, vous n'aurez pas ce choix !

Voir aussi « Il est bon pour tout le monde de ne "rien faire" de la journée » (p. 137).

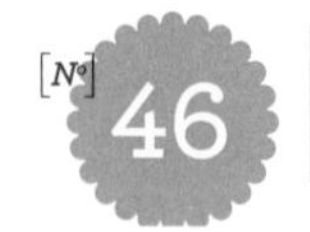

NE VOUS SURCHARGEZ PAS POUR LA *moindre petite* SORTIE

C'est formidable d'être préparé, mais rassembler les affaires du bébé complique parfois une sortie plus qu'elle ne le mérite. Les parents novices s'encombrent plus que de raison. Avec tout ce que vous assumez tous les jours, vous n'avez pas besoin de vous transformer en plus en bête de somme. Voici quelques conseils :

- Plutôt qu'un sac de change gigantesque, choisissez un petit fourre-tout pratique, une besace ou une pochette en tissu avec une bandoulière pour les sorties courtes. Vous n'avez besoin que d'une ou deux couches, un petit sac de lingettes, votre téléphone portable, une pièce d'identité, et quelques euros pour vous offrir un café ou un gâteau au besoin. (Pour les nouveau-nés, ajoutez un body en cas de fuite de la couche.)

- Si vous utilisez une poussette, cantonnez-vous à ces articles essentiels en ajoutant une petite couverture ou un tapis à langer dans le panier, et partez avec les épaules libres.

- Si votre bébé consomme des aliments solides, évitez-vous exceptionnellement les tracas d'un vrai repas et emportez simplement une banane, un petit pain aux céréales ou autre en-cas. Si vous vous rendez chez une autre famille (ou au restaurant), vous trouverez assez d'aliments convenant à un bébé pour concocter un repas.

TRUC DE PARENT RÉCIDIVISTE

Si vous rendez visite régulièrement à certains amis ou membres de la famille, peut-être serait-il judicieux de laisser un peu d'équipement chez eux ? Par exemple une chaise haute (usagée), une gigoteuse, une poussette avec capote, un lit portable, quelques jouets et livres, des couches et des vêtements de rechange. Vous pourrez ainsi voyager léger à chaque visite.

- Si vous conduisez, avoir une réserve d'articles essentiels dans votre voiture vous permettra de prendre le départ rapidement sans encombrer votre sac. Voir aussi « Gardez des réserves dans votre voiture », p. 106.

- Si vous allez chez d'autres parents, ou même en halte-garderi, ou au club parents-enfants, il est inutile d'emporter tout votre équipement : il y aura toujours quelqu'un pour vous prêter ce qui vous manque et des couches ou un vêtement n'ont pas besoin d'être exactement à la bonne taille en cas d'urgence.

«Un grand sac à langer coûteux est tout à fait inutile. Il ne sert qu'à vous casser les épaules, et ce n'est qu'une série de petites lanières et de poches où l'on perd tout. »

ELIZA, MAMAN DE DEUX ENFANTS DE 4 ET 3 ANS

Rappelez-vous que dans le pire des cas vous pouvez rentrer à la maison, ou acheter, ou emprunter l'article manquant. En général, les parents sont heureux de partager les couches, les lingettes ou les en-cas avec un autre parent dans le besoin.

GARDEZ DES RÉSERVES dans votre VOITURE

Garder quelques articles essentiels dans un carton à l'arrière de la voiture est une assurance de tranquillité permanente. Vous ouvrez votre sac à langer au restaurant et découvrez qu'il contient tout sauf des couches ? Précipitez-vous vers votre voiture et le problème est réglé. Voici ce que devrait contenir en permanence votre carton (et n'oubliez pas de refaire les stocks !) :

- Cinq couches.
- Un grand paquet de lingettes (pour nettoyer les mains, le visage et les vêtements, autant que les fesses).

TRUC DE PARENT RÉCIDIVISTE

À moins d'être sûr de rentrer directement chez vous, mettez toujours une poussette dans le coffre de votre voiture, au cas où. Si votre bébé s'endort, c'est peut-être le moment idéal pour faire une course ou une promenade et vous n'aurez pas envie de traîner ce siège auto partout.

- Du gel antiseptique pour les mains.

- Une bouteille d'eau (pour boire, réparer des dégâts ou délayer le lait infantile).

- Une petite couverture (pour réchauffer le bébé ou servir de tapis à langer).

- Un en-cas non périssable (si le bébé mange des aliments solides), par exemple : des biscuits de dentition ou des biscottes.

- Un en-cas non périssable pour vous : une barre énergétique ou un mélange de fruits secs.

- De la nourriture pour un repas (si vous n'allaitez pas), c'est-à-dire un biberon et du lait en poudre et/ou un petit pot avec une cuiller et un biberon.

TRUC DE PARENT RÉCIDIVISTE

Si vous n'avez pas un téléphone avec appareil photo, envisagez d'avoir un appareil jetable dans la voiture, la poussette ou le sac à langer pour immortaliser des instants adorables.

- Une tenue de rechange.

- Des coussinets de soutien-gorge et un chemisier (en cas d'allaitement).

- Un torchon (pour d'innombrables utilisations, de l'essuyage des balançoires du terrain de jeux à celui des crachouillis - c'est un excellent recyclage de vos torchons usagés).

- Une tétine de rechange, si votre bébé en utilise.

- Un jouet, un livre ou un doudou.

TRUC DE PARENT RÉCIDIVISTE

Accrochez une étiquette de bagage sur votre sac à langer, la poussette et le siège auto, portant le nom de votre enfant et des coordonnées pour un contact d'urgence.

[N°] 48 Votre bébé sera très bien dans sa propre chambre

Quand notre amie a ramené son premier fils à la maison, elle s'est efforcée de caler un lit portable dans sa petite chambre. « Tous les gens que je connaissais gardaient leur bébé dans leur chambre. Je ne m'étais même pas demandé si j'avais le choix. » Au bout de cinq semaines où elle avait été obligée d'escalader le lit du bébé pour atteindre le sien, elle l'installa de l'autre côté du palier et - surprise, surprise ! - tout se passa très bien. En fait, tout le monde dormait mieux. Et le second bébé ? « Il a été dans sa chambre dès le premier jour. Et, depuis, les deux petits dorment très bien dans leur chambre, porte fermée. Nous sommes heureux de vivre entre adultes à partir de 19 h 30 tous les soirs et d'avoir notre chambre et le reste de la maison pour nous seuls. »

TRUC DE PARENT RÉCIDIVISTE

Quand vous transférez le bébé dans son propre lit, pensez à régler le matelas sur la position la plus basse, plutôt que sur la plus haute, dès le début. À chaque fois que le matelas est réglé sur une position, c'est aussi un ajustement pour le bébé. Nous avons évité des pleurs avec le second enfant en réglant le matelas une fois pour toutes.

Le choix d'installer le bébé dans sa propre chambre dépend de sa santé et de son tempérament, de vos sensations personnelles et de la configuration des lieux. Nous connaissons des parents qui ont dormi dans la même chambre que leur enfant jusqu'à son premier anniversaire car autrement il aurait dormi à un autre étage, et cela les perturbait. Nous en connaissons d'autres qui ont installé le bébé dans une chambre séparée dès le premier jour et ne sont jamais revenus en arrière. Quel que soit votre choix, votre bébé se sentira bien ; tout dépend de vous et de ce que vous sentez être le mieux.

Si vous sentez le besoin d'un peu plus de repos, sortez de votre « zone de confort » et faites un essai de chambre à part pendant quelques nuits. Si vous avez encore des doutes, commencez par éloigner le lit dans un premier temps. Si l'espace est limité, vous pouvez même le placer dans la salle de bains ou un dressing attenant – c'est ce que nous faisons parfois avec notre second enfant quand nous partons en vacances ou séjournons chez des parents plutôt que de cohabiter avec son naturel bruyant. Une fois que vous vous serez adaptés, vous constaterez peut-être même que vous passez un moment plus qualitatif avec lui au réveil.

TRUC DE PARENT RÉCIDIVISTE

Pour la première nuit, essayez de poser le vêtement de nuit (non lavé) d'un des deux parents (une taie d'oreiller ou un soutien-gorge d'allaitement) dans le lit pour laisser une odeur familière. Attachez-le fermement aux barreaux pour ne pas laisser dans le lit un tissu avec lequel il risquerait de s'étouffer.

Les jouets pour bébés sont SURFAITS

Un jour, votre enfant voudra un Spiderman ou une machine de karaoké Princesse Disney. Alors économisez. Ne dépensez pas votre argent dans une kyrielle de jouets pour bébés. Voulez-vous savoir quel a été le jeu favori de notre seconde fille ? Un paquet de protège-slips. Le moelleux de l'emballage en plastique, le bruit de papier froissé, le fait qu'elle pouvait facilement l'attraper d'une main puis le lancer sur le sol de la salle de bains et gambader pour l'attraper : le fabricant de jouets aurait mis des mois à inventer ce qui l'a séduite sur l'étagère de la salle de bains. Parmi ses autres favoris, citons un pot de vaseline vide, un rouleau de ruban adhésif, une boîte à chaussures avec un couvercle pivotant, une brosse à ongles et tous les boîtiers de DVD vides qu'elle pouvait attraper. Pendant ce temps, la crécelle hors de prix prend la poussière sous le canapé. Tout cela pour vous dire que les « jouets pour enfants » sont partout et les parents expérimentés ont appris à ne pas les acheter.

Voici quelques-uns de nos préférés que vous possédez sûrement. Sinon, il vous suffira de dépenser quelques euros dans une droguerie pour être équipés. En prime : vous ne vous lamenterez pas si vous les perdez.

- Le jeu de cuillères doseuses réunies par un anneau (facile à attacher à un siège auto, une balancelle et une poussette).

- Les tasses doseuses et les entonnoirs (formidables dans le bain aussi).

TRUC DE PARENT RÉCIDIVISTE

Conservez vos modèles démodés d'équipement électronique personnel pendant que vous êtes enceinte : étonnamment, les bébés dédaignent les téléphones ou appareils photo jouets, mais sont passionnés par les modèles pour adultes de l'année précédente.

- Les boîtes Tupperware avec couvercle (ou n'importe quel récipient en plastique recyclable).

- Les minuteurs en plastique de cuisine, compte-minutes et sabliers.

- Des saladiers en métal (particulièrement fascinants sur un sol de cuisine dur).

- Des boîtes vides de toutes les tailles.

- Des paniers à linge.

- Des écharpes très fines.

TRUC DE PARENT RÉCIDIVISTE

Ne jetez pas votre vieux portefeuille quand vous en achetez un nouveau. Conservez-le avec votre passeport périmé, vos cartes de club périmées et autres cartes inutiles : votre petit les prendra pour des vrais. Gardez-les dans la voiture pour calmer un bébé grognon pendant un long trajet ou près de la table à langer pour un enfant que le changement de couche met en fureur.

- Des magazines et des catalogues.

- Téléphone portable, lunettes de soleil, clés, portefeuille, appareil photo numérique et télécommande.

« Au lieu d'acheter l'un de ces coûteux mobiles noir et blanc qui sont censés stimuler les nouveau-nés, j'ai dessiné des motifs sur du papier blanc avec un marqueur. Puis, pour une autre version, j'ai tissé des bandes de papier kraft noires et blanches en motif de ruche. J'ai collé ces mobiles près de la table à langer et partout dans la maison à portée de vue du bébé. Il les adorait ! Et il ne s'est jamais soucié qu'ils ne soient pas parfaits. »

TARA, MAMAN DE DEUX ENFANTS DE 3 ET 1 AN

TRUC DE PARENT RÉCIDIVISTE

Masquez les haut-parleurs des jouets électroniques bruyants avec du ruban adhésif ou du ruban adhésif entoilé s'ils ne sont pas dotés d'un réglage de volume sonore.

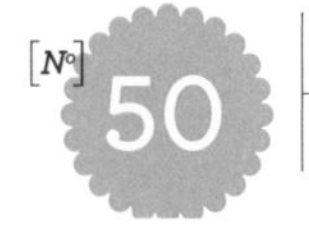

[No] 50 ATTENDEZ QU'IL MARCHE pour SÉCURISER LA MAISON

Les parents expérimentés entonnent tous le même refrain sur ce sujet : n'en faites pas trop sur la sécurisation et, honnêtement, ne commencez pas à vous inquiéter dès que vous ramenez le bébé de l'hôpital (ou même pendant la grossesse !). La sécurité du bébé *est* importante, mais le calendrier des nouveaux parents est un peu faussé, et couvrir toutes vos prises électriques avant que le bébé ne se tienne droit ne servira qu'à rendre les adultes fous. Évidemment, si cela fait partie des sujets qui vous empêchent de dormir la nuit, mieux vaut vous en occuper plus tôt. Mais si vous vous sentez stressé et en manque de sommeil, remettez cela à plus tard dans votre agenda mental. Vous avez déjà bien assez de choses à faire dans la maison.

Rappelez-vous que votre bébé ne sera pas mobile avant 6 mois s'il est précoce et ne marchera pas avant 1 an environ. La sécurisation peut être réalisée en une journée si nécessaire, et bien des parents y sont arrivés.

> *« « La seconde fois, nous avons décidé de limiter le nombre de pièces sécurisées au lieu d'essayer d'équiper toute la maison. Les jumeaux étaient heureux dans leur espace et nous adorons les barrières ! »*
>
> LILA, MAMAN DE TROIS ENFANTS DE 5, 2 ET 2 ANS

VOUS POUVEZ FAIRE BEAUCOUP quand votre BÉBÉ EST ÉVEILLÉ

Tous les parents novices ont l'impression de n'avoir de temps pour rien. Ils n'arrivent pas à laver une assiette, et encore moins à préparer un dîner. Alors que les parents expérimentés gèrent souvent un foyer plein d'activité – y compris les tâches ménagères, les repas et la surveillance de l'aîné – pendant cette même période. Ils ont tout simplement appris à utiliser les heures d'éveil du bébé pour s'activer.

Les nouveaux parents sont enclins à rester en permanence à côté du bébé quand il est éveillé et à repousser toutes les tâches du foyer à l'heure de la sieste. Assez bizarrement, les parents expérimentés font souvent l'inverse ; ils gardent les tâches ménagères pour les moments d'éveil et utilisent les plages de sommeil pour faire ce qui leur serait impossible avec deux enfants actifs : par exemple, lire sur un canapé, avoir une conversation téléphonique, lire leur courrier ou faire du shopping en ligne.

Si vous travaillez à l'extérieur, vous aurez peut-être un sentiment de culpabilité encore plus fort si vous faites la vaisselle du petit-déjeuner ou réglez les factures quand le bébé est éveillé car tout instant partagé est précieux. Mais la vie doit continuer. Honnêtement, cela ne fera pas de mal à votre bébé d'apprendre rapidement que tout votre temps ne peut être uniquement consacré à le distraire, que vous appartenez tous deux à une famille plus large et à un foyer qui exigent des soins.

Emmener votre bébé faire les courses, le laisser vous « aider » dans la maison et lui donner des objets de ménage sans danger (vaisselle en plastique, cuillers en bois) sont des leçons de vie importantes, pour vous deux. Et, évidemment, vous pouvez faire des grimaces, chanter des chansons stupides, commenter ce que vous faites et communiquer de toutes les façons possibles avec votre bébé pendant que vous réalisez des tâches productives.

Avec le second enfant, les parents apprennent qu'il y a presque toujours moyen de transformer une tâche quelconque en activité pour le bébé, et que le meilleur emploi de sa sieste est le repos.

Vous avez plein de choses à faire et votre bébé ne se satisfait pas de jouer seul ? Voici quelques idées pour l'impliquer :

- Mettez votre bébé dans le porte-bébé de votre choix (écharpe, sac à dos ou Babybjörn) pendant que vous rangez les produits d'épicerie ou le linge, faites la vaisselle, dépoussiérez ou même passez l'aspirateur (tant que votre dos le supporte).

- Les bébés adorent le linge. Tous aiment la sensation d'un drap propre flottant au-dessus de leur tête comme un parachute, jouer à faire coucou avec un torchon, renverser le panier et le vider ou s'y accrocher pour se redresser.

- Placez-le dans son siège ou une chaise haute avec une série de cuillers doseuses et autres ustensiles de cuisine bruyants pendant que vous préparez le dîner, chargez le lave-vaisselle ou vous asseyez pour déguster un café et « bavarder » avec lui.

- Rangez dans un placard bas des objets sans danger comme des boîtes en plastique ou des saladiers en métal. Laissez-le s'amuser avec ceux-ci pendant que vous cuisinez, rangez les courses ou vaquez à vos occupations dans la cuisine.

- Posez un récipient en plastique plein de jouets de bain sur le sol de la salle de bains ou dans un tiroir bas. Vos pots de crème hydratante ou les flacons de shampoing vides (sans le capuchon) sont particulièrement passionnants. Laissez votre bébé jouer pendant que vous faites un brin de toilette ou séchez vos cheveux.

- Les épiceries, pharmacies, drogueries, bureaux de poste et autres lieux où vous faites vos courses sont des expériences instructives pour les bébés. Si vous constatez qu'il est très agité dans le siège auto ou la poussette, optez pour le porte-bébé. Parlez-lui de vos achats – des couleurs, des formes, des odeurs – et faites une pause pour bavarder avec des personnes sympathiques.

[N°] 52 LE BAIN DU SOIR N'EST PAS INDISPENSABLE tous les jours

Demandez à n'importe quel parent expérimenté quand son bébé a eu son dernier bain et la réponse sera probablement : « Euh... mardi ? » Non seulement le bain n'est certainement *pas* un événement quotidien, mais il ressemble plutôt à une toilette avec un gant éponge sur la table à langer ou peut-être à une immersion dans le lavabo jusqu'à la ceinture. Les nouveaux parents, d'autre part, ont parfois l'impression que le bain du soir, accompagné d'une serviette à capuche spéciale et d'une multitude de jouets, de chansons et de pitreries, est incontour-nable. Si un bain délirant devient un élément vital du rituel du coucher, vous pouvez craindre qu'il ne dorme plus sans lui.

Nombre de bébés aiment le bain ; et quand votre emploi du temps et votre énergie le permettent, pourquoi ne pas lui faire ce plaisir ? Mais il n'est simplement pas obligatoire tous les jours. « Est-ce qu'un bébé se salit vraiment ? demande la maman de deux enfants. Baignez-le tous les deux jours, au plus. C'est une mise en scène et cela le deviendra plus encore quand il grandira. Si les bains sont espacés, il ne comptera pas dessus au moment de se coucher. En outre, cela évite que sa peau se dessèche trop, éco-nomise votre dos et vous épargne du linge sale supplémentaire ou un nettoyage de salle de bains. »

TRUC DE PARENT RÉCIDIVISTE

Quand le derrière de votre bébé nécessite une petite toilette et que vous ne voulez pas sortir le grand jeu du bain, faites ce que font tous les parents pressés par le temps : emplissez votre lavabo d'eau tiède et trempez-y juste ses fesses.

Le bain d'un nourrisson peut être particulièrement intimidant ; il semble si fragile et aucune baignoire pour bébés, ni votre lavabo, ne paraît parfaitement adaptée. Il attrape froid ; vous avez peur qu'il glisse dans l'eau et, parfois, cela crée un énorme désordre. Suivez donc le conseil des parents expérimentés et sortez un gant doux et une serviette douillette pour une toilette au gant sur votre lit, la table à langer ou un tapis de salle de bains. (Et rappelez-vous que les nouveau-nés n'ont guère besoin de savon et de shampoing ; les pédiatres recommandent généralement de se limiter à l'eau pure sur cette peau sensible. Un achat de moins !)

[N°] 53 ÉVITEZ L'INTERACTION PERMANENTE *avec votre bébé*

Ce matin, alors que nous essayions de préparer notre fille aînée pour l'école, j'ai jeté un coup d'œil dans la salle de bains et j'ai vu notre bébé de 8 mois très concentré sur quelque chose. Elle retirait le couvercle d'un petit seau et le remettait, observant comment il s'adaptait dans un sens mais pas dans l'autre. Je marquai un temps d'arrêt et me demandai : « Avons-nous jamais surpris notre première fille en train de faire cela, seule, à cet âge ? » En vérité, elle n'en a jamais eu l'occasion : l'un de nous deux aurait probablement été assis à côté d'elle, en train de diriger cette activité.

Récemment, une de nos amies, mère pour la première fois, nous a avoué : « Je regarde la télévision quand je me détends avec mon bébé. Est-ce épouvantable ? » Une autre jeune maman admet qu'elle se sent coupable de consulter son smartphone d'une main tout en berçant son bébé somnolant de l'autre. La vérité est que, même si vous vous imaginez passer des heures à contempler votre nouveau bébé, les mamans expérimentées savent que vous ne pouvez tout simplement y passer toute votre journée (et voici un petit secret : vous risqueriez de vous ennuyer de temps en temps). En outre, votre bébé n'en a pas besoin. Les bébés ont besoin de beaucoup d'amour et d'attention, évidemment, mais ils peuvent également s'épanouir quand ils sont laissés à eux-mêmes de temps à autre.

TRUC DE PARENT RÉCIDIVISTE

Quand votre enfant grandit, laissez-le établir des relations lui-même plutôt que lui faire une démonstration : taper sur les jouets de son tapis d'éveil, essayer de faire entrer cette balle dans un bol encore et encore, ou secouer les poignées des tiroirs.

Il est tout à fait normal de laisser votre bébé seul un petit moment ; cela arrive souvent aux cadets et cela leur réussit très bien. En fait, c'est peut-être la raison pour laquelle ils semblent plus indépendants et adaptables. Donc, si votre enfant semble heureux de jouer avec un jouet, d'observer le ventilateur au plafond ou de découvrir ses pieds, laissez-le faire. Pendant qu'il est ainsi occupé, vous êtes autorisée à feuilleter un magazine, vous servir un café ou passer un coup de téléphone personnel.

Il est bon pour tous les enfants de disposer d'un espace personnel : bébés, bambins gambadants et enfants d'âge préscolaire (et plus tard, adolescents !). C'est également sain pour les parents. Un jour, vous devrez vous éloigner un peu de votre bébé par nécessité, que ce soit pour accueillir un autre enfant, reprendre le travail ou simplement parce qu'il grandit. Si votre bébé comprend que vous êtes là pour lui quand il a besoin de vous et que vous êtes proche même si vous n'êtes pas en relation active avec lui, il sera plus facile pour vous deux de l'accepter.

[N°] 54

NE VOUS FORCEZ PAS À SUBIR LA MUSIQUE *des* ENFANTS

« Ne vous laissez pas avoir par la soi-disant musique pour enfants », conseille le papa de trois enfants. « Écouter *Little People* ou *Alvin et les Chipmunks* est une forme de torture lente. Ils ne sont jamais trop jeunes pour apprécier la beauté d'autres styles de musique. »

Avec notre premier bébé, nous avions une pile de CD de berceuses traditionnelles, de world music, de Mozart pour les bébés et même de sons de la vie quotidienne pour calmer les pleurs. Nous les avons tous essayés et les écoutions dès que le bébé était éveillé, dans la voiture comme à la maison. Nous dansions et la bercions à leur rythme pour tous les couchers et les siestes. Nous les emportions même en voyage. C'était la musique de fond de notre nouvelle vie de parents et elle nous rendait absolument fous. Nous l'entendions même dans notre sommeil.

Nous ignorons totalement où sont ces CD actuellement. Notre second bébé écoute la musique de la maison, que ce soit les hits des années 80 découverts récemment par notre aînée ou nos morceaux préférés d'adultes. Les trajets en voiture signifient maintenant « musique de voiture du style que nous écoutions avant d'être parents ». Et à l'heure du coucher ? Bien sûr, nous fredonnons encore une vraie berceuse avant de poser le numéro deux dans son lit et, contrairement au numéro un habitué à sept ou huit chansons, elle n'en attend pas plus. Et elle est heureuse ainsi...

> *« Initiez-les de bonne heure à toutes sortes de musiques et vous apprécierez beaucoup plus les voyages en voiture pendant les années à venir. Actuellement, la demande la plus fréquente de mon fils de 6 ans quand je l'emmène à l'école est* For Those About to Rock (We Salute You) *d'AC/DC. Pour le plus jeune, c'est* Eye of the Tiger *de Survivor. Avoir le choix de la première chanson sur le chemin de l'école est aussi une bonne motivation pour se préparer le matin. »*
>
> **NEVILLE, PAPA DE TROIS ENFANTS DE 6, 4 ET 2 ANS**

Notre pédiatre nous avait suggéré de passer notre propre musique (fort !) pour lutter contre la crise du soir de notre premier bébé. Nous passions à plein volume le groupe celtique Great Band Sea et chantions en chœur ; cela la calmait mieux (et nous aussi) que tout ce que nous avions tenté auparavant. Ce fut la fin de la « musique de bébé » chez nous. Bizarrement, notre seconde fille n'a pas vraiment souffert de la crise du soir, peut-être parce que vers 18 h nous sommes tous occupés à préparer le dîner et qu'elle est assise par terre en train de se trémousser sur les Black Eyed Peas.

Voir aussi « La fameuse "crise du soir" n'est pas un mythe » (p. 69).

[N°] 55 NE PANIQUEZ PAS au PREMIER RHUME

Un sentiment d'impuissance totale accompagne souvent la première maladie du premier bébé, même s'il ne s'agit que d'un léger rhume. Vous en arriverez peut-être à dormir à côté de son lit, vous inquiéter de chaque respiration difficile et prendre sa température à chaque réveil. Il est évidemment prudent de consulter votre pédiatre ou S.O.S. Médecins si vous avez une inquiétude, mais s'il s'agit vraiment d'un simple rhume, vous ne pouvez pas faire grand-chose de plus qu'attendre qu'il passe. S'il est une chose que les parents expérimentés savent, c'est que le bébé guérira et que cela paraît *toujours* plus grave que ça ne l'est. Hélas ! les médecins ne prescrivent pas de médicaments contre le rhume pour les jeunes enfants. Les remèdes sont les mêmes que pour les adultes : beaucoup de repos et absorber beaucoup de liquide. Voici quelques suggestions, mais consultez votre médecin si votre enfant a des problèmes particuliers :

- **Surélevez légèrement un côté du lit.** Posez un livre de poche sous la tête du lit ou placez un torchon entre le matelas et les ressorts pour faciliter l'écoulement rhino-pharyngé.

- **Essayez d'ignorer le mucus (évitez de l'essuyer en permanence).** Même si c'est peu appétissant de voir le nez de votre bébé couler toute la journée, il est préférable que cela s'évacue. Ayez des mouchoirs à portée de main pour l'essuyer quand vous ne supportez plus cet écoulement.

- **Consultez votre médecin sur l'emploi d'une solution saline.** Certains médecins conseillent de laver le nez du bébé avec une solution saline (en vente dans les pharmacies), puis de retirer le mucus à l'aide d'une poire nasale (notamment si la congestion empêche l'allaitement) ; d'autres affirment que cela ne sert à rien d'autre qu'à irriter la cavité nasale déjà enflammée.

- **Consultez votre médecin sur l'emploi d'un humidificateur.** Une fois encore, certains médecins les recommandent (et des parents ne jurent que par ces appareils tout l'hiver), alors que d'autres affirment qu'ils ne sont qu'un bouillon de culture de bactéries. L'autre méthode pour obtenir le même effet est d'installer le bébé dans une salle de bains chaude et pleine de vapeur grâce à la douche qui coule.

> *« Je me réjouis tous les jours que mes filles soient en bonne santé, au sens large. Je ne me bile pas pour Lucy. Si elle attrape un rhume, c'est la vie. Nous ne nous précipitons pas chez le médecin pour chaque nez qui coule. »*
>
> **Jane, maman de trois enfants de 10, 6 et 1 ans**

Évidemment, les parents expérimentés envisagent calmement les maladies mineures, non seulement parce qu'ils savent que tout ira bien, mais aussi parce que les frères et sœurs aînés continuent à aller à l'école ou à pratiquer d'autres activités et que le bébé doit accompagner le trajet. Il est rare qu'un parent expérimenté annule un rendez-vous ou n'aille pas travailler parce que son bébé tousse. Mais la première fois où *votre* bébé est malade est un jalon. Vous vous inquiétez. Donc, s'il vous est difficile de quitter votre bébé et que vous n'y êtes pas obligé, restez auprès de lui. Câlinez-le. Annulez vos rendez-vous. Restez à la maison. Faites ce qui vous semble bon.

NE VOUS PRÉCIPITEZ PAS CHEZ VOUS *pour* LE COUCHER

Nous avons toujours été partisans de faire dormir nos enfants à la maison, dans leur propre lit, dans la mesure du possible. C'est ce qui fonctionne le mieux pour nous. Mais nous nous sommes rendu compte avec notre second enfant que l'heure de la sieste ne devait pas totalement régler notre emploi du temps ; c'est essentiel quand vous avez un enfant plus âgé qui ne fait plus la sieste et que tout le monde ne peut pas tout arrêter pour celle du bébé. Si c'est encore un nourrisson, il y a des chances que vous transportiez son lieu de sommeil préféré partout où vous allez : sa poussette ou son siège auto. Il y dormira très bien quand vous serez de sortie.

Quand votre bébé aura passé le cap des 6 mois, il aura peut-être des horaires de sommeil fixes et préférera dormir dans un lit. Mais cela ne signifie pas que vous deviez rentrer chez vous à toute vitesse à une heure précise. Si vous avez envie de passer la journée chez des amis ou des parents et qu'il n'y a pas de lit approprié, emportez un parc de voyage et sa couverture ou son jouet favori et installez-le dedans. Que peut-il arriver ? Essayez à plusieurs reprises et vous pourriez bien vous ouvrir un nouvel espace de liberté. Si le lit portable est trop encombrant à transporter, une écharpe de portage est une autre solution, car de nombreux bébés y dorment confortablement jusqu'à 1 an ou plus, ou utilisez le siège auto. Certains bébés dorment même très bien sur une couverture ou un futon posé sur le sol s'ils y ont été habitués.

Il en va de même pour le coucher. Nous aimons que notre bébé s'endorme à l'heure et à la maison, mais nous faisons des exceptions. Quand nous l'avons emmené en voyage vers l'âge de 4 mois, nous ne voulions pas quitter nos amis à 19 h 30 et rester à l'hôtel. Nous l'installions donc chez eux et restions jusqu'à minuit, puis la réveillions délicatement pour l'emmener. Trois nuits sur quatre, nous avons réussi à la transférer au siège auto puis au lit à l'hôtel sans un piaillement. La quatrième nuit, elle a protesté et il a fallu la bercer et la nourrir pour qu'elle se rendorme, mais c'était quand même un bon taux de réussite et le voyage a été beaucoup plus agréable pour nous.

VOUS POUVEZ CONFIER VOTRE BÉBÉ à des PROCHES

Que disent les parents expérimentés à propos des baby-sitters ? « Si une personne – *n'importe qui* – saine d'esprit vous offre de garder votre bébé, acceptez avant qu'elle ne change d'avis ! » C'est facile à dire quand vous êtes un parent aguerri de deux ou trois enfants d'âges divers et que vous l'avez déjà fait un millier de fois. Mais les premières fois où on laisse un jeune bébé sont pénibles pour tout le monde, surtout pour les nouvelles mamans. Donc, pourquoi le faire ? Eh bien, si vous voulez passer des moments sans votre enfant – et cela arrivera –, mieux vaut l'habituer très jeune à être soigné par des personnes de confiance autres que vous. C'est un élément important du développement de votre enfant, et attendre que l'anxiété de la séparation apparaisse (généralement vers 9 mois) peut rendre l'adaptation plus difficile. En revanche, vers 3 mois, un parent loin des yeux est plutôt sorti de l'esprit – ce qui facilite la vie de l'enfant et de la personne qui s'en occupe.

Néanmoins, même si vous le savez intellectuellement, comment pouvez-vous laisser un si petit être sans défense avec quelqu'un d'autre ? Et s'il se demande où vous êtes ? Et qu'allez-vous manquer peut-être ? Les parents expérimentés se posent beaucoup moins de questions, s'ils s'en posent ; ils savent que non seulement le bébé se passera de ses parents, mais aussi que cette pause sera bénéfique. Rappelez-vous une réalité incontestable : vous avez encore de très nombreuses journées à passer ensemble...

Pour surmonter l'obstacle au départ, une bonne règle générale est de commencer par des sorties brèves. Confirmez à la baby-sitter pour l'occasion qu'elle peut vous contacter si elle a besoin de vous. (À l'époque des téléphones portables, cela vous aidera de considérer votre baby-sitter comme un moniteur de surveillance longue distance.) Mais il a y toutes les chances que tout se passe merveilleusement bien et que vous ayez l'agréable surprise, et peut-être une légère blessure, de retrouver un bébé parfaitement heureux à votre retour.

Vous seul savez si vous êtes à l'aise, et jusqu'à quel point, avec la notion de baby-sitting, mais voici quelques conseils qui peuvent vous aider :

- Choisissez un jour ou un soir qui vous convient le mieux, en fonction des horaires de votre bébé. Même s'il est probable qu'il supportera très bien d'être couché par quelqu'un d'autre (les jeunes bébés n'ont pas l'attachement émotionnel au coucher que nous avons), optez pour une sortie de jour si vous vous sentez plus à l'aise.

- Si votre bébé dort relativement de bonne heure le soir et avec régularité, envisagez de sortir après son coucher (si vous en avez l'énergie). Même si cette technique ne l'habitue pas à des visages nouveaux, elle peut renforcer votre confiance. Une technique idéale à tester lors d'une visite des grands-parents.

- Si vous vous sentez plus à l'aise de confier votre bébé à des membres de la famille ou à des amis qui ont eux-mêmes des enfants, adressez-vous à eux en priorité. Avouez que vous êtes nerveux. Restez dans le voisinage et choisissez une activité relaxante : une promenade, un déjeuner ou un spectacle en matinée. Détendez-vous avec la certitude d'être de retour chez vous en quelques minutes en cas de besoin.

TRUC DE PARENT RÉCIDIVISTE

Si vous êtes particulièrement angoissé par la séparation, exploitez la technologie moderne et demandez à la baby-sitter de vous envoyer des photos ou des messages à intervalles réguliers sur votre téléphone. Il n'y a rien de mieux que de voir un bébé content (ou endormi) pour vous aider à apprécier votre sortie.

- Si vous allaitez exclusivement, vous n'aurez que deux heures (ou moins) de liberté. Que cela ne vous arrête pas. Intercalez une balade, un repas rapide, ou un café et un dessert avec votre partenaire entre deux tétées.

- Quand vous serez prêt à aller plus loin dans le baby-sitting, demandez à d'autres parents les coordonnées de personnes de confiance ou faites appel à un service de bonne réputation. Les écoles d'infirmières ou de puériculture peuvent également fournir des informations.

Voir aussi « Laissez votre partenaire faire les choses à sa façon » (p. 91) et « Formez un cercle de soutien, rapidement » (p 45).

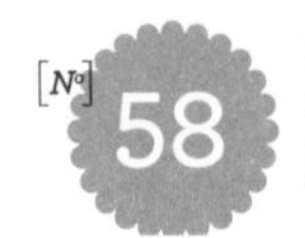

VOUS ALLEZ VOUS DISPUTER avec votre PARTENAIRE

Quand vous et votre partenaire ramenez à la maison votre petit rayon de soleil, l'émotion pure de ce moment est extraordinaire et la pression quotidienne semble s'évanouir quand vous contemplez votre merveilleuse création. Vous êtes une famille dorénavant. Tout est parfait. Vous avez tellement de chance. Rien d'autre ne compte. Au début. Les parents expérimentés savent qu'inévitablement la réalité du statut de parent va émerger et, quand le moment viendra, ce sera rapide et violent. Et sur qui d'autre passer ses nerfs que sur votre partenaire ?

Le congé maternité ou paternité, si vous en bénéficiez, dure peu et même les couples les mieux préparés se retrouvent face à un accroissement des tâches et à une diminution du temps ou/et de l'énergie disponibles pour les remplir. Et ce principe ne s'applique pas uniquement quand les deux parents reprennent le travail ; en fait, ce stress peut être amplifié quand l'un des parents assume le rôle de principal responsable des soins au bébé, car l'amertume peut s'accumuler des deux côtés. Étant donné l'énergie que vous investissez dans votre nouveau-né et les répercussions sur votre sommeil, il est normal que vous vous mettiez en rogne plus facilement et que les petits agacements autrefois rapidement écartés se transforment en problèmes plus importants. Cela peut même mener à ce que nous appelons « la dispute ingagnable » qui commence par une question apparemment simple : « Qui travaille le plus dur ? »

Quand les désaccords, les disputes ou même les conflits ouverts commencent à éclater, il sera bon de vous rappeler que vous formez une équipe. Bien sûr, il y aura des moments où vous penserez que votre partenaire fait tout de travers ou qu'il ou elle n'en fait simplement pas assez. Cela peut être dû à une colère ou à un reproche déplacé au sujet d'une tâche en cours ; la peur peut également provoquer le stress ; ou c'est tout simplement que votre partenaire est le seul adulte de votre univers et que vous devez déverser cette émotion sur quelqu'un. Alors, avez-vous toujours le droit de vous en prendre à lui ou elle pour ces raisons ? Eh bien, non.

Le paradoxe est qu'il s'agit là de la première leçon que vous allez bientôt enseigner à votre bambin : il est normal d'éprouver ce genre de sentiments, mais il n'est pas normal de mal se conduire envers les autres sous leur emprise. Les parents expérimentés ont découvert que la solution semble toujours revenir à ce remède éprouvé : la communication. Un courant de communication constant avec votre partenaire permet de relâcher la pression ; il est bien connu que même un sentiment de colère et de frustration complète semble plus gérable quand il est extériorisé et replacé dans le contexte avec le partenaire. Même si vous n'êtes pas totalement sincère, essayez de compatir. Dire : « Je comprends », « Excuse-moi » et « Merci » participe grandement à apaiser n'importe quelle situation.

Laissez votre partenaire s'épancher quand il ou elle en ressent le besoin et résistez à l'envie irrépressible de surenchérir l'un sur l'autre (« Tu crois que *ta* journée a été dure ? »). Ce n'est pas un concours. Encouragez-vous réciproquement à faire des pauses, à aller boire un café avec le journal ou même le tour du pâté de maisons. L'air frais, même pendant peu de temps, fait des merveilles.

> ***« Une chose que j'ai apprise avec le second bébé était de dire "merci" à mon mari de temps à autre. Avec le premier, je suis restée à la maison et j'étais tellement focalisée sur le dur travail que je fournissais que j'en oubliais qu'il travaillait. Maintenant, je pense à le remercier pour des petites choses comme gérer les trajets quotidiens sans se plaindre, ou rapporter le dîner ou un litre de lait en rentrant. »***
>
> **ANNE, MAMAN DE DEUX ENFANTS DE 5 ET 3 ANS**

Il est important d'observer qu'en certains cas les tentatives de communication et de compréhension peuvent échouer malgré la meilleure volonté. Des problèmes comme la dépression *post-partum* peuvent vous déstabiliser autant qu'une nouvelle famille peut l'être. Si vous craignez que ce ne soit votre cas, ce n'est pas le moment de sourire et d'assumer. Si vous vous sentez régulièrement abattue et submergée, ce que vous pouvez faire de plus courageux (et de plus intelligent) est d'apporter à votre famille l'aide dont elle a besoin. Demandez à votre médecin les coordonnées d'un conseiller conjugal ou personnel. Adressez-vous à un membre de la famille que vous respectez tous les deux pour qu'il vous apporte un peu de recul. Parlez avec votre groupe de parents ou d'autres parents que vous admirez et demandez-leur conseil. L'essentiel est de trouver un terrain commun à partir duquel avancer et vous *re*-concentrer, ensemble, sur le bonheur que peut apporter la création d'une nouvelle famille.

Voir aussi « Vous aurez peut-être l'impression de vivre sur deux planètes différentes » (p. 160).

N'AYEZ PAS PEUR DE vous PLAINDRE

Avez-vous une sensation d'échec si vous admettez que votre bébé vous rend dingue ? Êtes-vous exaspéré intérieurement par tout ce que fait votre partenaire ? Vos conversations avec d'autres nouveaux parents vous paraissent-elles factices car ils prétendent que tout est rose ? Qui sait pourquoi, mais les parents novices hésitent souvent à se plaindre, notamment en dehors de leur cercle de famille ou d'amis très proches. Ils cachent leur jeu, inquiets que leurs plaintes soient mal interprétées, que leur frustration soit assimilée à une défaillance parentale. De leur côté, les parents expérimentés passent leur temps à exposer leurs sentiments d'incapacité à gérer la maison et leur envie récurrente d'envoyer leurs enfants en pension. Ils se plaignent auprès de toutes les personnes qui les écoutent ; en fait, ils se plaignent parfois l'un auprès de l'autre (« Tu penses que c'est mal ? Devine ce que mes monstres ont fait hier… J'ai envie de les étrangler tous les deux ! »).

Réfléchissez : vous vous plaigniez probablement en permanence de votre travail avant d'avoir un bébé ; donc, pourquoi serait-il soudain inconvenant de vous plaindre de votre nouveau job, le plus stressant de tous ? Vous n'êtes pas obligé d'étaler votre linge sale devant tous les gens que vous rencontrez, mais vous devez vous plaindre. Oui, vous *devez*. Vous devez admettre que vous êtes submergé, que votre bébé est pénible, que votre partenaire vous met en furie, que vous regrettez parfois « le bon vieux temps » de toutes les fibres de votre être. Vous devez admettre tout cela puis vous rendre compte, à la fin de la journée, que vous êtes encore un bon père ou une bonne mère et que votre partenaire et votre bébé vous aiment toujours.

Voyez-vous, le monde ne va pas s'écrouler parce que vous admettez que vous vous sentez incompétent ou plein de doutes, ou de colère, ou d'énervement. Au lieu de cela, vous enlèverez ce poids de votre poitrine et, comme la majorité des problèmes qui semblent tragiques quand nous les gardons cachés, ces situations sembleront plus gérables après avoir été nommées et mises en lumière. Donc, allez-y : plaignez-vous de votre bébé !

Défoulez-vous, ronchonnez, gémissez et pleurnichez, puis n'y pensez plus. Comme le savent les parents expérimentés, il y aura un autre sujet d'apitoiement demain.

Voir aussi « Formez un cercle de soutien – rapidement » (p. 45).

[Nº] 60

VOUS POUVEZ (ET DEVRIEZ) faire de L'EXERCICE

Une bonne dose d'exercice est aussi bénéfique pour l'esprit que pour le corps. Jeune maman, si cela vous semble insurmontable pendant les premiers mois, vous n'êtes pas seule dans votre cas. Mais les parents expérimentés ont trouvé des moyens d'introduire l'activité physique dans leur emploi du temps, car entretenir vos forces et votre énergie est encore plus important à partir de maintenant. Voici quelques idées pour vous faciliter la vie :

- **TROUVEZ UN COURS POSTNATAL.** De nombreux cours de yoga et de gymnastique proposent des cours spécialisés pour les nouvelles mamans, et les bébés sont les bienvenus. La chaleur de la salle et l'atmosphère sereine ont tendance à les calmer et les endormir.

- **LOUEZ UNE VIDÉO.** Le yoga et la méthode Pilates sont faciles à exercer dans votre living pendant que le bébé dort sur son tapis d'éveil. Louez quelques DVD si vous n'êtes pas sûre de ce qui vous convient. Invitez une amie à se joindre à vous : cela vous aidera à faire les mouvements au lieu d'une sieste.

- **RENSEIGNEZ-VOUS SUR LES COURS DU VOISINAGE OU DU CENTRE SOCIOCULTUREL.** Certains proposent des cours élémentaires d'aérobic ou autres disciplines avec la possibilité de laisser les enfants dans une salle de jeux pour un tarif symbolique.

- **Échangez du temps avec d'autres parents.** Si l'une de vos amies a un bébé et toute votre confiance, alternez les tours de garde à la maison pour aller à tour de rôle faire un peu de sport pendant une heure. Les bébés adoreront se retrouver et, plus tard, jouer ensemble dans un lieu familier.

- **Échangez du temps avec votre partenaire.** Vous avez probablement mis le sport en veilleuse tous les deux. Programmez une journée du week-end ou une soirée par semaine où, à tour de rôle, vous serez libérés de vos obligations, sans culpabilité.

- **Marchez (ou courez) partout.** Investissez dans un bon habillage de pluie pour poussette et une tenue imperméable pour vous et sortez par tous les temps. Faites vos courses (pousser une poussette pleine de produits d'épicerie est un excellent entraînement), passez vos coups de téléphone, emmenez un(e) ami(e) ou promenez-vous en famille... et faites du sport en même temps.

- **Incorporez le bébé dans votre entraînement.** Au fil du temps, le voici qui grandit et se fortifie, et vous aussi. Allongée sur le dos, le développé-couché de votre bébé ne peut être que bénéfique. Non seulement il provoquera de grands rires, mais vous pourriez également développer un peu de muscle.

[Nº] 61

IL EST BON POUR TOUT LE MONDE

de ne RIEN FAIRE de la journée

Regardez tous ces parents courir en poussant leur bébé dans une poussette de jogging, avec le chien et le téléphone portable, emmener les petits à leurs cours, partir en randonnée, assister à tous les concerts des gamins, organiser des après-midi de jeux, même pour les moins de 1 an !

Des nouveaux parents aiment avoir des journées surchargées, se rendre dans des parcs ou des fêtes d'anniversaire à des dizaines de kilomètres, visiter des musées ou centres de loisirs, assister à toutes sortes d'événements culturels. Mais si vous n'en avez ni l'énergie ni le goût, vous ne lésez pas votre bébé. Franchement, ce dont les tout-petits semblent avoir le plus grand besoin est de passer du temps dans un univers familier avec des personnes familières qui font des choses familières. Il est parfaitement raisonnable de passer la majorité de la première année à la maison, avec une ou deux aventures dans le parc voisin, quelques courses simples, quelques visites reçues ou rendues dans le voisinage. (C'est toute la « socialisation » dont un bébé a besoin à cet âge – et ne laissez personne vous dire autre chose.) Toutes ces activités sont hautement éducatives pour un bébé. Et vous découvrirez sans doute que, quand vous l'emmitouflez et faites l'effort de l'emmener à l'aquarium ou au zoo, il est essentiellement fasciné par les pigeons, les écureuils et les autres enfants qu'il pourrait voir gratuitement dans votre rue.

Il est important de ne pas être trop dur avec vous-même, dès maintenant. Vous êtes tous novices et il n'est pas nécessaire de vous imposer une pression : vous méritez tous d'être chouchoutés et de vous sentir bien. Si vous n'avez pas envie de faire quelque chose, ne le faites pas, même si plusieurs nouveaux parents de vos amis le font. Interrogez n'importe quel parent qui a passé le cap de la première année et il vous dira probablement qu'il a passé ses moments les plus magiques avec son bébé sur le plancher du living, pas au musée pour les enfants ni à la Cité des sciences.

Vous et votre enfant avez une vie commune devant vous pour visiter les expositions de sculpture. Les premiers pas ne vont pas tarder et vous sentirez alors ce qui vous est à tous deux le plus agréable et bénéfique. Quand il gambadera, de nouvelles activités apparaîtront spontanément – la lecture des histoires à la librairie locale, les rencontres avec des amis au parc ou les dessins à la craie dans l'allée – et vous aurez également trouvé votre place idéale.

D'ici là, si vous vous sentez un jour d'humeur à rester à la maison en pyjama, ne faites rien d'autre.

Voir aussi « Votre bébé n'a pas besoin de cours » (p. 167).

[N°] 62

VOUS VOUS FÂCHEREZ contre VOTRE BÉBÉ

Comme tout nouveau parent enthousiaste, la dernière chose que vous imaginez est la possibilité de vous fâcher contre votre bébé. Mais, comme un ami le confessait récemment ; « Vous savez bien qu'avant d'en avoir un vous-même, vous n'avez jamais cru que quelqu'un soit capable de secouer son bébé ! Puis vous en avez un et ce qui vous étonne, c'est que quelqu'un arrive à *ne pas* le secouer. » Il est même pénible de répéter ces propos, mais c'est ce qu'on peut ressentir à un moment donné. Ce type de colère prend les nouveaux parents totalement au dépourvu. Et c'est l'un des aspects de cette toute nouvelle relation dont on parle le moins, surtout chez les parents novices ; il y a une certaine honte attachée à la simple notion d'énervement contre un bébé. Quel genre de parent pourrait en arriver là ? Cela signifie-t-il que vous n'êtes pas fait pour être parent ? Les parents expérimentés non seulement savent qu'ils peuvent devenir fous, mais sont disposés à en parler. Et ce n'est qu'en parlant que les parents désamorcent leur colère, ainsi que la culpabilité et la honte qui y sont attachées, et commencent à résoudre le problème.

Il n'y a aucun moyen de se préparer au face-à-face avec un enfant inconsolable, qui a résisté à tout le répertoire des techniques d'apaisement et continue à pleurer. Ajoutez à cela le manque de sommeil des parents et tout le stress lié à ce nouveau rôle, et vous obtenez le cocktail qui dévoile le côté obscur de n'importe quelle personnalité. Certains parents pleurent. Certains parents crient. Certains ont des pensées épouvantables. Ne pensez pas que vous êtes anormaux d'avoir de telles réactions.

De même que les bébés procurent des bonheurs extrêmes, ils peuvent vous mettre au pied du mur. Et vous avez intérêt à vous y préparer. Prenez donc au sérieux ces brochures qui traitent des violences faites aux bébés et engagez-vous à placer votre enfant en lieu sûr et à compter jusqu'à 10 si vous sentez que vous ne vous contrôlez plus. Vous vous sentez frustré ? Faites une pause. Si votre partenaire est disponible, passez la main. Sortez quelques instants, loin du bruit. Si vous êtes seul, posez le bébé en sécurité dans son lit et éloignez-vous cinq minutes. Ce moment crucial, où vous vous accordez un court répit, va vous éviter le mouvement de trop et d'être submergé par l'émotion. Saisissez-le.

Si vous vous rendez compte que vous avez peut-être besoin de davantage de pauses dans la journée pour contrôler votre colère, surtout si votre bébé traverse une période éprouvante, cherchez un soutien : il peut s'agir d'une baby-sitter rémunérée, d'une voisine que vous appellerez quand vous avez besoin de respirer, ou d'une amie qui passera un moment avec vous. Si le soutien extérieur ne suffit pas, consultez votre médecin et cherchez un intervenant qui vous aide à gérer votre colère. Cela vous paraît un peu effrayant ? Cela pourrait le devenir, mais ce ne sera pas le cas si vous êtes conscient que ces sentiments existent et qu'ils ne font pas de vous une mauvaise mère ou un mauvais père.

Voir aussi « Formez un cercle de soutien – rapidement » (p. 45).

[N°] 63

ÊTRE PARENT EST PARFOIS incroyablement ENNUYEUX

Dans votre rôle de nouveaux parents, vous vous ennuierez sûrement. À mourir ! Oui, même au cours de cette première année stupéfiante et absorbante. Pour un parent novice, cela peut être une surprise. Vous entendez dire à quel point la maternité (ou la paternité) sera active, passionnante, riche en émerveillements, épanouissante, exaspérante même... mais *ennuyeuse* ? Oh, oui ! Pendant ces premières semaines, ou mois, où vous vous passionnerez et vous enthousiasmerez pour tout ce que fait votre bébé, vous verrez que la vie continue. Et quand votre bébé s'approchera de son premier anniversaire, il entrera dans une longue (vraiment longue) période où il voudra faire toujours la même chose, encore et encore. Les parents expérimentés connaissent la dure vérité : le voir désigner les petits chats dans *Bonsoir, la Lune* ou remplir une tasse de sable pour la première fois vous émerveillera, mais le voir pour la millième fois dans la semaine vous fera le même effet que regarder sécher la peinture. Sans parler de la répétition d'autres mornes tâches parentales, du nettoyage des biberons à la préparation des purées ou au change, tous les jours. Sans interruption. Mais ne vous inquiétez pas : c'est précisément quand vous vous ennuyez à mourir qu'il se passe quelque chose de nouveau. Il commence à marcher. Ou à parler. Ou à vous *répondre*. Et soudain vous lui accordez à nouveau toute votre attention.

Voir aussi « Tout est passager, absolument tout » (p. 85).

APPRENEZ L'ART DE VOUS FAIRE PLAISI, *rapidement*

En tant que parent novice, vous avez une leçon très importante à apprendre : comment vous relaxer, vous détendre ou vous ressourcer en un laps de temps très court. Si vous disposez de trente minutes de tranquillité avant le réveil du bébé, résistez à la tentation de remplir le lave-linge. Saisissez plutôt cette opportunité pour vous faire plaisir ; vous et votre bébé le méritez bien. La notion de réel plaisir varie selon les individus, mais envisagez ceux-ci :

- Faites un somme.
- Appliquez-vous un masque sur le visage, faites un gommage ou savourez un bain moussant.
- Sirotez un verre sur la terrasse.
- Regardez votre émission TV préférée.
- Confectionnez une coupe glacée à votre parfum préféré ou un chocolat liégeois.
- Préparez des crêpes avec de la pâte prête à l'emploi.
- Téléphonez à un(e) ami(e) proche.

- Enroulez-vous dans une couverture moelleuse avec un magazine nul.

- Lisez un bon livre qui n'a rien à voir avec l'éducation des enfants.

- Faites un peu de yoga ou de stretching.

- Tirez des paniers.

- Écrivez votre journal.

- Rédigez votre blog.

- Faites-vous les ongles des pieds.

- Jardinez.

- Dessinez.

- Cuisinez.

- Jouez à un jeu vidéo.

- Écoutez votre musique préférée.

- Commandez en ligne quelque chose de beau, pour vous ou pour la maison.

- Préparez-vous un café ou un thé et faites griller de la cardamome.

- Si vous en avez le loisir, faites une promenade… les mains dans les poches.

Vous partagez ce temps libre avec votre partenaire ? Essayez les suggestions ci-dessus à deux (oui, même le vernis à ongles), ainsi que celles-ci :

- Massez-vous réciproquement les pieds ou les épaules.

- Jouez à un jeu de plateau.

- Préparez-vous vos cocktails préférés.

- Faites-vous des passes de ballon dans le jardin.

- Faites-vous la lecture.

- Faites l'amour !

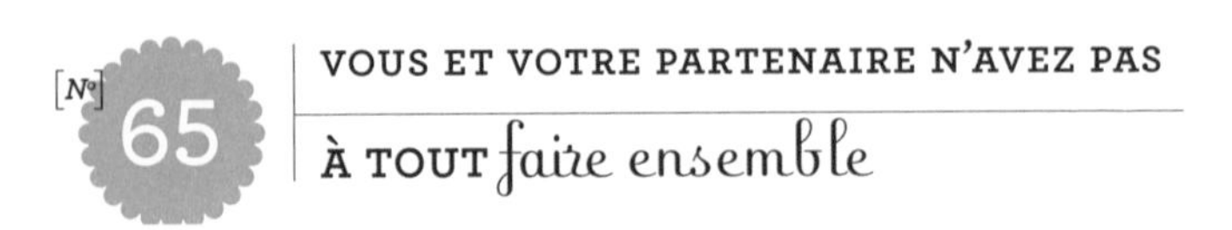

[N°] 65 VOUS ET VOTRE PARTENAIRE N'AVEZ PAS À TOUT *faire ensemble*

Répétez après nous : « À tour de rôle ! ». Les parents expérimentés ont appris que le grand avantage d'avoir un seul enfant est là.

Si vous avez un autre enfant, le rapport parents/enfants passera à 1 pour 1 (ou vous serez surpassés en nombre par les petits !).

« Ma femme et moi sortons à tour de rôle avec nos amis. Nous avons décidé rapidement qu'un mardi sur deux serait ma soirée avec mes copains et un jeudi sur deux sa soirée entre filles. Pas de dépenses de baby-sitter ni de problème de coordination ; donc, c'est facile de sortir plus souvent. »

TOM, PAPA DE DEUX ENFANTS DE 6 ET 4 ANS

Vous êtes complètement dévoué à votre premier enfant ? C'est merveilleux. Vous devez l'être. Il est également merveilleux que vous et votre partenaire soyez tous deux disponibles, impliqués et enthousiastes pour participer à divers moments essentiels comme les repas, les jeux, le bain et le coucher. Mais, avec votre second enfant, vous comprendrez rapidement une chose : vous n'êtes pas obligés de tout faire ensemble.

Des amis chers nous ont récemment rendu visite avec leur bébé de 6 mois. Il commençait à absorber des aliments solides et généralement l'un des parents le nourrissait pendant que l'autre faisait des grimaces amusantes et des bruits encourageants – ce jusqu'à la fin du repas. D'autres amis ont fait un séjour chez nous avec leur fille de 1 an. Quand est arrivée l'heure du coucher, ils se sont excusés tous les deux d'aller la mettre au lit et lui lire une histoire. Tout cela nous a paru étrange jusqu'à ce que nous réfléchissions à notre première année avec notre aînée.

Cela nous semble si loin maintenant ; mais est-ce que nous ne la baignions pas ensemble systématiquement, tous deux penchés sur le bord de la baignoire pour ne rien rater ? est-ce que nous ne montions pas à l'étage tous les deux pour tous les petits rituels du coucher comme le pyjama, le livre et les chansons ? Nous avons été stupéfaits de nous rappeler le temps où nous faisions tout en équipe, au lieu d'alterner les tâches et de laisser l'un des deux se reposer.

Mais comprenez-moi bien : il y a sans aucun doute quelque chose de merveilleux dans toute cette complicité. Et si l'un de vous deux a un travail très prenant et que ces moments sont rares, profitez-en au maximum. Mais il est également important d'apprendre que vous pouvez demander à votre partenaire : « Peux-tu faire ceci ? » Cette évolution naturelle se produit automatiquement chez les parents expérimentés. Un parent donne le bain et met le pyjama, puis passe le relais à l'autre pour les histoires et le coucher. Un parent nourrit le bébé pendant que l'autre prépare le repas des adultes. Un parent emmène le bébé à une fête d'anniversaire pendant que l'autre fait une sieste (ou des courses, ou boit un verre, ou regarde la télévision).
Évidemment, quand le second enfant arrive, personne n'a vraiment de répit ; donc, trouver un rythme équilibré de temps commun et de temps en solo devient essentiel. Par exemple, vous déciderez peut-être de vous charger en alternance de la totalité du rituel du coucher, de façon à profiter un jour sur deux d'un vrai moment de tranquillité. (Demain soir viendra bien assez tôt, croyez-moi.) Vous pouvez également alterner les responsabilités de la journée ; vous verrez beaucoup de papas avec leurs bébés le

samedi matin, probablement parce que la maman est en équipe du matin pendant la semaine. Organisez les relais comme vous voulez et vous serez, chacun, beaucoup plus enthousiaste quand viendra votre tour. Hélas, les parents novices se sentent souvent coupables de ne pas être présents à chaque instant : « Quel moment adorable suis-je en train de rater ? Et si mon bébé se demande où je suis ? Et s'il rit pour la première fois en découvrant le goût délicieux des petits pois ? » N'y pensez plus. À moins que vous ne teniez vraiment, *vraiment,* à vous lever à 6 h une fois de plus ce dimanche, accordez-vous un répit bien mérité. Et accordez la même plage de tranquillité à votre partenaire le dimanche. Rappelez-vous que, si vous avez un second enfant, vous devrez diviser et maîtriser tout le temps : un parent baignera le numéro un pendant que l'autre couchera le numéro deux ; l'un nourrira le petit à la cuiller pendant que l'autre cajolera l'aîné pour qu'il avale quelque chose de vert ; l'un changera la couche du nouveau-né pendant que l'autre restera indéfiniment à côté du grand assis sur son pot. Et il sera de plus en plus difficile de vous réserver des matinées de liberté. Profitez du fait que le rapport parents/enfants soit encore de 2 pour 1.

[N°] 66 LA SIESTE QUOTIDIENNE PARFAITE n'est PAS NÉCESSAIRE

Mon amie Jane a eu son troisième enfant quand les deux premiers étaient âgés de 9 et 5 ans. « Oh, je me rappelle ces siestes parfaites, me dit-elle un jour alors qu'elle emmenait sa fille aînée à son cours de danse, le nouveau-né calé dans son siège auto. Tu sais, quand tu laisses ton bébé dormir aussi longtemps qu'il veut ? Celui-ci n'y a *jamais* droit. »

Une fois que votre bébé établit un horaire de sieste, ces moments bénis semblent une nécessité absolue. Qu'il pleuve ou qu'il vente, ce bébé doit faire un somme, en grande partie parce que vous avez planifié toute votre journée (et votre temps libre) autour de cet horaire et aussi parce que vous croyez peut-être que le monde va s'écrouler sans cela. Quand vous aurez plusieurs bambins, vous n'aurez pas d'autre choix que d'interrompre les siestes du bébé pour satisfaire les besoins des aînés : les emmener à l'école et aller les chercher, les rendez-vous chez le médecin, les activités diverses et les après-midi de jeux chez les petits amis. Et quoique personne ne veuille éveiller un bébé qui dort, le petit s'en remettra très bien de toute façon... et, franchement, vous trouverez peut-être que la journée n'a pas été totalement perdue après tout. Ce sont des petits êtres extrêmement résistants.

Donc, quand votre bébé semble ne pas vouloir faire la sieste un jour – ou qu'il est perturbé pour des raisons quelconques, y compris vos propres plans –, ne vous tracassez pas. (Et ne passez pas plus de temps que la durée normale d'une sieste à essayer de le faire changer d'avis !) Éteignez la lumière et prenez la chose avec le sourire. Rappelez-vous que demain est un autre jour, un jour où votre bébé fera probablement la sieste – et, avec un peu de chance, vous aussi !

VOTRE LIBIDO PEUT ÊTRE au POINT MORT

Quand vous êtes jeunes parents, vous n'avez plus la même réaction quand vous lisez dans la presse people que les bébés d'une célébrité sont espacés de treize mois seulement. Au lieu de penser : « Ça va être beaucoup de travail », votre première réaction va sans doute être : « Cela veut dire qu'elle a fait l'amour dans les quatre mois qui ont suivi l'accouchement – et probablement plusieurs fois ? »

Comme la majorité des parents novices, vous serez sans doute surpris, et un peu inquiets, du temps nécessaire à la réapparition des pulsions sexuelles. Au second enfant, vous saurez à quoi vous attendre, et le sujet sera donc moins lourd sur le plan émotionnel puisque vous l'aurez déjà vécu. Le sexe après le premier bébé est lié à de nombreux facteurs dont voici quelques-uns :

- **LE RÉTABLISSEMENT PHYSIQUE ET ÉMOTIONNEL.** L'un comme l'autre vous avez à gérer des émotions et des stress nouveaux, physiques et mentaux, ainsi que votre perception de vous-même. La césarienne et l'accouchement vaginal laissent des traces sur le corps de la maman qui doivent se réparer, et ce rétablissement comporte des aspects physiques et émotionnels. Il peut se passer un temps assez long avant qu'elle ne se sente à nouveau elle-même. L'allaitement aggrave parfois ce phénomène car elle est encore liée physiquement au bébé. Le papa découvrira peut-être également qu'il voit différremment la maman et son corps depuis qu'elle a accouché, ou il peut avoir peur de lui faire mal.

- **L'image du corps.** Naturellement, la maman va gérer des variations de poids et des changements physiques. Mais cela peut aussi toucher les papas dont beaucoup prennent du poids pendant la grossesse et ne le perdent pas.

- **Les hormones.** Les hormones de la maman passent également par des hauts et des bas, la rendant tour à tour irritable ou encline aux larmes, et soit bien disposée envers le sexe, soit rebutée par cette perspective.

- **Le niveau d'énergie.** Vous êtes tous les deux épuisés, sur le plan émotionnel comme sur le plan physique, et vous avez dû gérer un sommeil perturbé.

- **Le ressentiment.** Est-ce que l'un de vous deux a l'impression qu'il fait plus que sa part ? Ce n'est pas le climat idéal pour les dons réciproques de l'intimité.

- **Le stress.** Tous les aspects de la vie sont accentués après la naissance d'un bébé. Tous les deux pouvez vous inquiéter non seulement à propos de votre bébé et du changement de style de vie qui l'accompagne, mais aussi de vos finances, vos carrières, votre santé ou même d'une autre grossesse.

- **Le sentiment d'être déconnecté.** « Notre problème était que mon mari devait faire l'amour pour se sentir lié à moi, explique une amie. Et j'avais besoin de me sentir liée pour avoir envie de faire l'amour. » Ce n'est pas rare. Une situation où l'un des deux reprend le travail et où l'autre passe toute sa journée avec le bébé peut aboutir à un ressentiment réciproque et un sentiment de solitude.

- **Les perturbations.** Voici quelque chose que les parents expérimentés peuvent vous garantir : peu importent le moment et l'endroit où vous ferez l'amour pour la première fois après avoir amené le bébé à la maison, vous l'entendrez pleurer au moment le plus inopportun.

Prenez exemple sur les parents expérimentés et parlez de vos attentes, vos soucis et autres sujets n'ayant aucun rapport avec vos relations sexuelles et qui pourraient vous donner le sentiment d'être plus proches. La maman a-t-elle grand besoin de plus d'intimité avant de pouvoir même penser au sexe ? Parlez de ce qui pourrait aider, d'une soirée romantique à un dîner aux chandelles à la maison, livré tout prêt après le coucher du bébé. Le papa a-t-il plus envie de sexe que la maman ? Imaginez un plan qui vous semble acceptable à tous deux : peut-être un câlin rapide pendant la sieste du week-end (quand vous n'êtes pas épuisés tous les deux) maintiendra-t-il les liens sans en faire trop dans le domaine sexuel ? Et veillez à faire le même effort pour rétablir votre intimité sur le plan émotionnel.

Évidemment, trouver des façons platoniques d'exprimer votre affection – de l'échange de compliments aux bisous et caresses sur le canapé – permet de maintenir la proximité. L'essentiel est de garder le sens de l'humour et de s'efforcer de ne pas montrer de découragement, d'inquiétude et de surprise quand votre vie amoureuse précédemment animée semble tombée aux oubliettes. Rappelez-vous ceci : cela arrive à tout le monde. Et tout rentrera dans l'ordre. Comme tout ce qui accompagne votre bébé, c'est une étape, et il y en a toujours une autre à la suite...

Voir aussi « Vous aurez l'impression de vivre sur deux planètes différentes » (p. 160).

[Nº] 68 UN BÉBÉ PEUT ÊTRE COUCHÉ ÉVEILLÉ

Tous les parents novices semblent persuadés que le bébé doit être bercé, bercé et bercé avant d'être placé dans son lit, profondément endormi. Et, certainement, quel beau sentiment de satisfaction et de réussite doit vous envahir quand votre bébé bascule dans le pays des rêves entre vos bras ! Donc, n'hésitez pas à le bercer, notamment durant les premières semaines où votre bébé et vous-même avez un énorme besoin de confort et de contact pour vous assoupir et quand les habitudes de sommeil et d'éveil ne sont pas encore figées. Mais vous ne pourrez simplement pas continuer indéfiniment. Pourquoi ? Parce que plus votre bébé deviendra conscient, plus vous souhaiterez qu'il apprenne à se calmer par lui-même et à s'endormir tout seul. Après tout, vous pouvez toujours être là jusqu'à ce qu'il dorme à poings fermés, n'est-ce pas ?

Une de nos amies est mère d'un enfant de 2 ans et demi qui doit encore être bercé pour s'endormir à l'heure de la sieste et le soir. « Ses grands-parents se sont beaucoup occupés de lui dans la journée et ils voulaient qu'il soit profondément endormi avant de le coucher pour la sieste. Il était difficile de les priver de ça. Mais, maintenant, j'ai besoin qu'il dorme et la seule méthode est de le bercer indéfiniment. » Elle se rend compte qu'elle renforce le comportement qu'elle veut faire cesser, mais elle se sent coincée parce que l'habitude est bien enracinée. Elle attend maintenant son second bébé. Pensez-vous qu'elle va avoir le temps d'endormir l'aîné alors qu'elle jonglera également avec le nouveau-né ? Probablement pas. « Le réveil va être dur », admet-elle.

Dans une famille de deux, trois enfants ou plus, les parents apprennent vite à reconnaître le réel besoin d'attention chez un bébé ; quand ce n'est pas le cas, ils comptent qu'il se calme par lui-même. Il est tout simplement impossible de passer quarante-cinq minutes à endormir un bébé alors que d'autres enfants sont éveillés. Mais les parents expérimentés ont appris ceci : vous n'êtes pas obligés d'y passer quarante-cinq minutes si vous ne le voulez pas. Si vous commencez dès le début, vous ne devrez peut-être y passer que quinze minutes ou même cinq, si c'est ce que vous souhaitez. Vous pouvez cesser de lui chanter quinze chansons et essayer d'en chanter deux, puis laisser un CD assurer la suite. Ou vous pouvez essayer de le secouer légèrement ou de le caresser quand il est dans son lit plutôt que l'en sortir.

Bien entendu, le coucher ne se passera pas aussi facilement dans toutes les familles. Si vous avez un bébé agité ou sujet aux coliques, vous aurez plus de mal à le coucher éveillé. Demandez conseil à votre pédiatre ou à d'autres mamans pour le sevrer progressivement de votre présence. Il existe une multitude de livres proposant diverses techniques et l'idéal est que quelqu'un vous indique celui qui a bien fonctionné pour sa famille, même si chaque bébé est unique (à votre plus grand agacement).

Rappelez-vous que peu importe que le processus soit relativement facile ou atrocement difficile pour votre famille : comme tant d'autres choses au cours de la première année, votre bébé *devra* acquérir la capacité de trouver le sommeil. Essayez donc de ne pas culpabiliser de ne pas l'avoir complètement endormi quand vous quittez la pièce. En réalité, vous lui rendez service. Tout ce que vous pouvez faire pour le guider délicatement vers l'indépendance et l'autonomie ne fait pas seulement partie de votre travail : c'est l'essence d'une bonne éducation.

Voir aussi « Fiates de votre mieux pour simplifier » (p. 79) et « "Discipline" n'est pas un gros mot » (p. 198).

LES BOULES QUIES® SONT VOS AMIES

N'hésitez pas. Nous les achetons en vrac et les avons sous la main partout : dans la chambre, la salle de bains, la chambre d'amis et la boîte à gants de la voiture. Pourquoi ? Les enfants sont *bruyants*. Quand ils sont bébés, ils sont bruyants involontairement, et quand ils grandissent, ils le sont volontairement. Évidemment, vous n'utiliserez pas les boules Quies® quand vous veillerez sur votre enfant endormi ou quand vous conduirez. Mais, à chaque fois que vous n'aurez pas la responsabilité de votre bébé, pour quelques minutes ou quelques heures, vous découvrirez qu'il est beaucoup plus facile de se détendre quand on n'entend pas le plein volume de décibels de chaque pleur ou, plus tard, même de chaque rire ou cri perçant. Donc, mettez-les et plongez vite dans votre lit ou la baignoire.

Voici quelques scénarios qui exigent l'emploi des boules Quies® :

- Quand votre mère vient en visite et propose de se charger du biberon de minuit ; demandez-lui de vous donner un coup de coude quand c'est votre tour de nourrir le bébé.

- Quand votre partenaire prend le tour du petit matin le week-end ou vous propose de faire une sieste.

- Quand quelqu'un se charge de surveiller le bébé pendant un certain temps.

- Pendant la crise du soir ou toute autre période inconsolable.

- À offrir à des invités pour la nuit.

- Quand votre bébé hurle dans la voiture et que vous êtes le passager (il n'y a rien de plus anxiogène qu'un petit en larmes dans une voiture quand on est incapable d'y remédier).

- Quand votre bébé a pris l'habitude de hurler (de bonheur ou non) à chaque fois qu'il est dans sa chaise haute.

- Quand vous dormez dans la même chambre que votre bébé, que ce soit en raison de la présence d'invités, d'un séjour à l'hôtel ou parce que c'est ainsi actuellement.

Ne vous inquiétez pas : les boules Quies® ne sont pas impénétrables. Vous entendrez les pleurs (et même les plaintes et les grognements), mais de façon très adoucie.

« DÎNER AU RESTAURANT » NE DOIT PAS signifier « DÉSASTRE »

Les nouveaux parents ont tendance à être extrêmement angoissés à l'idée d'emmener leur bébé au restaurant. Ils prient pour qu'il dorme et s'inquiètent à chaque piaillement. Nous comprenons : même dans un café accueillant pour les familles, l'un de nous emmenait notre premier bébé faire un tour du pâté de maisons s'il commençait à montrer le moindre signe d'agitation. Nous sommes beaucoup plus sereins maintenant ; mais nous avons également appris quelques astuces pour que tout se passe sans heurts :

- **Choisissez le bon endroit.** Naturellement, n'emmenez pas votre bébé dans un endroit où les enfants ne sont pas bienvenus. Si vous sortez avec des amis, n'hésitez pas à suggérer un autre lieu si tout le monde doit y passer un meilleur moment. Quand vous arrivez, demandez une table dans le fond de la salle ou la table où vous serez le plus à l'aise.

- **Choisissez le bon moment.** Le déjeuner est souvent plus recommandé que le dîner, et les restaurants sont souvent plus décontractés aussi.

- **Nourrissez le bébé à l'avance.** Essayez d'allaiter votre bébé ou de lui donner son biberon avant d'aller au restaurant ou dès que vous êtes installés.

- **Apportez des aliments.** S'il consomme des aliments solides, apportez quelques aliments à grignoter qui l'occuperont pendant un moment, comme un petit pain complet ou des biscuits de dentition. Si vous voulez commander quelque chose pour votre bébé, faites-le dès que vous êtes assis et n'hésitez pas à demander des choses qui ne sont pas inscrites à la carte (banane ou avocat émincé, ou un simple morceau de pain grillé ou de fromage). Le serveur tient aussi à ce que votre bébé soit heureux ; il est donc dans son intérêt de vous satisfaire.

- **Assurez la sécurité du bébé.** Ne passez pas le repas à vous inquiéter de sa sécurité. S'il se tient droit mais n'est pas vraiment solide dans ces chaises hautes de restaurant, enroulez votre manteau ou demandez des serviettes pour le bloquer. Ou apportez un siège de table pour bébés.

Sortez des sentiers battus. Gardez à l'esprit que « restaurant familial » ne signifie pas « fast-food ». Par exemple, nous aimons aller dans les restaurants de sushis avec les enfants : les bébés aiment le tofu, les cuillerées de soupe miso, la chair de crabe, le poisson cuit, les boulettes, les nouilles ; de plus, nous y trouvons habituellement un service rapide et une bonne volonté à nous apporter les plats par étapes. Essayez un restaurant qui fera autant plaisir aux adultes qu'aux enfants et vous pourriez découvrir un nouveau repaire familial favori.

Le sens de l'humour peut vraiment « aider »

La première fois, il est difficile de saisir le côté humoristique derrière le ridicule de certaines situations : se faire arroser par un pipi, voir un sein échapper de sa chemise au milieu d'une soirée, aller travailler avec un crachouillis dans le dos. La seconde fois, il est plus facile d'en rire ! Tout est ici question de découverte de soi, car tous les couples ne trouvent pas le même élément risible dans une situation donnée. Mais nous sommes prêts à parier que l'un de vous porte un clown en lui, qui peut être mobilisé dans les moments les plus désastreux. Si c'est vous, extériorisez-le et voyez comment il peut modifier l'atmosphère dans une situation tendue. Si c'est votre partenaire, trouvez la générosité de le ou la laisser essayer et vous séduire. Et ne vous laissez pas prendre au piège de la défensive des nouveaux parents consistant à un refus de rire de tout ce qui a trait au bébé, à votre corps ou à votre méthode éducative. Au lieu de répondre systématiquement : « Qu'est-ce que cela a de drôle ? », tentez d'adopter cette attitude de parents expérimentés : prenez du recul et laissez-vous aller au rire.

Vous devez également donner libre cours à votre côté foufou dans votre communication et vos jeux avec votre bébé. L'humour loufoque égaiera toutes les ambiances et vous aidera à passer des moments qui auraient exigé sans cela de serrer les dents et ingurgiter un whisky. Si l'humour « tarte à la crème » n'est pas votre tasse de thé habituellement, il faudra un peu d'adaptation. Laissez de côté votre calme rigide. Vous devrez découvrir le côté absurde d'une cuisine éclaboussée de purée de petits pois ou d'un bébé trépignant et vociférant quand vos amies célibataires passent la porte. Vous chanterez une chanson stupide et improviserez une danse des paquets de couches dans les rayons du supermarché sans un gramme de gêne. Vous *devrez*. Tout parent expérimenté vous le dira : vous ne serez pas vraiment une mère ou un père tant que vous ne roucoulerez pas une chanson grotesque en l'honneur d'une couche sale, accompagnée de gestes de la main. (Ce jour arrive. Préparez-vous.)

Cette compétence vous sera également utile quand votre bébé commencera à marcher ; un comportement ludique, au lieu d'une discipline stricte, vous aidera à négocier toutes sortes d'obstacles quotidiens, qu'il s'agisse de se battre pour le faire asseoir dans son siège auto ou d'essayer de lui faire avaler autre chose que des macaronis. Soyez drôle, jouez, montrez-lui votre côté fantaisiste, et l'envie d'entrer en conflit pourrait lui passer, du moins provisoirement. Sans parler de la leçon que vous lui apprenez au passage : ne pas se tracasser pour des broutilles.

Presque tous les parents expérimentés avec qui nous avons discuté, quels que soient leurs points communs par ailleurs, partageaient un avis : ne prenez pas tout au sérieux. Riez quand vous le pouvez, même si cela ne dure pas. Rappelez-vous toujours : votre bébé ne vous fait pas cela volontairement. Cela viendra plus tard. Apprendre à rire ensemble apportera plus de solidarité dans votre couple et de force dans votre arsenal éducatif quand votre enfant grandira.

Voir aussi « Vous ferez parfois des choses un peu gênantes » (p. 171).

VOUS AUREZ L'IMPRESSION DE VIVRE SUR DEUX PLANÈTES *différentes*

Particulièrement si l'un de vous reprend le travail et que l'autre reste à la maison, vous et votre partenaire aurez peut-être des vies radicalement différentes pendant la majeure partie de la journée. Cela signifie qu'il vous sera peut-être difficile de communiquer et de compatir aux hauts et aux bas de la journée de l'autre. Ajoutez à cela le stress fondamental de devenir parent et vous obtenez une série de complications importantes dans votre relation.

Tout d'abord, il y a la séparation physique. Si vous avez toujours été un couple qui passe beaucoup de temps ensemble, le premier jour où l'un des deux quitte la maison à 7 h 30 et ne revient qu'à la nuit tombante peut sembler une éternité à celui qui s'occupe du petit. Il y a des risques que vous ne puissiez même pas bavarder au téléphone ou en ligne comme auparavant, ni vous éclipser pour un déjeuner ou un dîner après le travail. Tous deux aurez peut-être un sentiment de solitude, mais probablement surtout celui ou celle qui passe douze heures d'affilée avec quelqu'un qui ne sait pas encore parler.

Vous pouvez aussi, consciemment ou non, éprouver le besoin de surenchérir sur l'autre, à voix haute ou intérieurement : « Tu trouves que ta *réunion* a été stressante ? Laisse-moi te raconter ma journée ! » Chacun de vous peut entretenir un certain ressentiment, se sentir jaloux de ce que l'autre « doive » aller travailler ou « doive » rester à la maison avec le bébé. Chacun de vous luttera peut-être pour prouver son mérite, à l'autre et à lui-même. Chacun de vous peut avoir un vif désir de reconnaissance et de validation du travail qu'il fait, alors que l'autre n'a même pas une idée claire de ce dont il s'agit.

Si les parents expérimentés n'ont pas de solutions toutes faites pour le stress relationnel qui intervient avec l'arrivée d'un enfant, ils ont appris à le prévoir. Suivez leur exemple et, si vos finances vous le permettent, prévoyez la venue régulière d'un(e) baby-sitter un après-midi et/ou un soir en semaine, même pour deux heures. Cela vous permettra de voir un film ou de vous offrir une *happy hour* sans vous ruiner. Cherchez à partager une garde ou un(e) baby-sitter ou même réservez votre belle-mère ou un(e) ami(e) pour une soirée une fois par mois. Si vous avez des amis avec enfants, proposez-leur d'échanger la garde des enfants un samedi après-midi sur deux ou tout autre arrangement qui vous semble gérable. Ou faites un pacte selon lequel, tous les mercredis soir, quand le bébé dormira, vous commanderez un dîner thaï, ouvrirez une bonne bouteille et parlerez au lieu de plier le linge devant la télévision une fois de plus. Remettez-vous au courant de vos vies respectives. Expliquez pourquoi cette présentation était si importante. Dites pourquoi vous étiez si affolé quand vous avez appelé au sujet de l'éruption de boutons du bébé. Partagez vos inquiétudes de ne pas faire assez bien votre travail, ou votre incertitude sur l'avenir dont vous avez envie. Parlez, parlez, parlez... Bientôt vous aurez moins de tracas de parents novices et vous aurez également d'autres sujets de discussion.

Les parents expérimentés ont dû apprendre à répartir leur amour au fil de l'élargissement de la famille. En prenant exemple sur eux et en instaurant le temps du couple comme partie intégrante de la nouvelle organisation familiale, vous reconnaissez tous deux des éléments importants : que vous ne voulez pas vous perdre de vue l'un l'autre, que vous voulez garder le contact dans les périodes de folie comme dans les moments paisibles, et que le bébé ne doit pas être le seul de la famille à profiter de votre énergie, votre attention et votre affection.

Voir aussi « Vous allez vous disputer avec votre partenaire » (p. 130).

[N°] 73 VOUS SURVIVREZ À UN VOYAGE EN AVION *avec* VOTRE BÉBÉ

Savez-vous qui ce bébé hurlant ennuie le plus sur ce vol national ? La maman ou le papa qui le tient. Honnêtement, tout le monde a supporté les pleurs d'un bébé dans un avion et, si ce n'est pas le vôtre, ce n'est pas très grave ; les casques sont de règle actuellement et ces braillements fourniront aux voyageurs un sujet de récrimination quand ils toucheront à nouveau le sol. Puis ils oublieront très vite. Pendant ce temps, vous transpirerez et serez stressés tout au long du vol, et cette expérience restera gravée dans votre cerveau pendant de longs mois. Les parents expérimentés s'inquiètent simplement moins de déranger quiconque : les bébés font ce que font les bébés, et pleurer dans un avion est l'une de ces activités.

Voici quelques astuces pour vous simplifier la vie :

- **VOYAGEZ AUX HEURES DE SIESTE** dans la mesure du possible ou pendant le sommeil nocturne pour les longs trajets. Vous aurez peut-être quelques caprices supplémentaires au départ, mais votre bébé sera sans doute assez fatigué pour dormir à poings fermés.

- **SI L'AÉROPORT PROPOSE UNE QUEUE « FAMILIALE »** au contrôle de sécurité, utilisez-la ; sinon prenez le temps qu'il vous faut et essayez de ne pas vous stresser pour les personnes qui vous suivent.

TRUC DE PARENT RÉCIDIVISTE

Veillez à mettre une couche propre à votre bébé avant l'embarquement. Si vous devez la changer en cours de vol, déshabillez-le au maximum sur votre siège. Toutes les toilettes d'avion n'offrent pas une table à langer ; si le vôtre n'en est pas équipé, vous devrez disposer un tapis à langer sur les toilettes ou le lavabo.

- **DONNEZ-LUI LE SEIN OU SON BIBERON** au décollage et à l'atterrissage, même si ce n'est pas l'heure normale : le mouvement de succion peut l'aider à adapter ses oreilles aux changements de pression.

- **PORTEZ UNE ÉCHARPE** ou autre porte-bébé confortable, pratique et utile dans l'aéroport comme dans l'avion.

« Mettez deux couches à votre enfant pour les longs trajets en avion. La seconde couche absorbera toutes les fuites et vous évitera d'avoir à fouiller dans votre sac à langer qui est dans le compartiment au-dessus de votre tête, quand l'ordre de boucler la ceinture s'allume. »

MARISA, MAMAN DE DEUX ENFANTS DE 2 ANS ET À VENIR

- **EMPORTEZ UN SAC DE JOUETS** que le bébé n'a jamais vus auparavant (particulièrement utile pour les bébés un peu plus âgés), comme des livres cartonnés avec beaucoup d'images.

Emportez une panoplie complète de change, avec tétines, et plus de nourriture, de lait en poudre ou de couches que vous n'estimez nécessaire. (Notez que le lait, le lait en poudre et les aliments pour bébés ne sont pas soumis aux règles de sécurité concernant les liquides et les gels.)

> *« En cas de pipi en vol, je relève l'accoudoir, pose une couverture ou un tapis à langer et je change la couche sur le siège, agenouillée dans l'allée. C'est beaucoup plus facile que dans des toilettes exiguës. »*
>
> **Yumi, maman de deux enfants de 4 et 1 ans**

Utilisez du gel antiseptique ou des lingettes antibactériennes pour nettoyer toutes les surfaces avec lesquelles le bébé sera en contact dans l'avion.

Marchez dans le couloir, d'un bout à l'autre, encore et encore.

Demandez de l'aide, partout : embarquez de bonne heure, demandez une place côté hublot et réclamez le service d'assistance à l'embarquement si vous en avez besoin. Demandez au personnel de la compagnie de vous aider à gérer vos bagages à main. Demandez au steward ou à l'hôtesse la plus compréhensive une place plus spacieuse. Demandez à un parent de l'autre côté du couloir de tenir votre bébé pendant que vous cherchez les biscuits dans votre sac. Tout ce qui, à votre avis, peut vous aider, demandez-le. Tout le monde souhaite que votre bébé soit heureux (c'est-à-dire tranquille), donc est probablement plus que disposé à vous aider.

TRUC DE PARENT RÉCIDIVISTE

Si vous voyagez seul avec votre bébé, la plupart des compagnies aériennes accorderont à votre partenaire ou autre membre de la famille un laissez-passer pour vous accompagner au-delà des contrôles de sécurité jusqu'à la porte d'embarquement et venir vous chercher au retour. C'est une vraie bouée de sauvetage quand vous portez un bébé, plus tout votre équipement – et personne ne vous en informe. Appelez votre compagnie aérienne pour plus de renseignements.

VOUS POUVEZ LAISSER votre BÉBÉ PLEURER

Nous l'avons déjà mentionné auparavant, mais cela mérite d'être répété encore et encore. Voici l'une des leçons d'éducation les plus difficiles mais les plus essentielles : pleurer n'est pas nécessairement un mal. Cela n'est pas synonyme d'« échec » de votre part. Votre bébé n'a que cette forme de communication à sa disposition et c'est son expression naturelle du stress d'être un être humain dans un monde tout nouveau. Plus tôt vous le comprendrez, mieux cela vaudra.

« Avec l'expérience vient une prise de conscience : la plupart du temps, un bébé qui pleure est tout simplement fatigué, affamé ou a besoin d'être changé. Je me rappelle que pour ma première fille j'avais créé une liste imaginaire de 10 choses au moins qui pouvaient aller de travers quand elle pleurait. »

JANE, MAMAN DE TROIS ENFANTS DE 10, 6 ET 1 AN

« Pleurer est vraiment la seule chose qui apprendra à votre bébé à dormir toute la nuit tout seul. N'attendez pas qu'il ait 2 ans et demi, quand vous devrez trouver une méthode créative, humaine pour le garder dans sa chambre toute la nuit. »

TANYA, MAMAN DE DEUX ENFANTS DE 3 ET 2 ANS

VOTRE BÉBÉ N'A PAS besoin DE COURS

200 € pour envoyer votre bébé à un cours de musique une heure par semaine ? Oubliez. Tous les enfants sont naturellement « musiciens » : ils aiment les instruments comme les tambours, les maracas et les tambourins ; ils adorent se trémousser en rythme et ils apprécient la plupart des styles musicaux. Ils n'ont pas besoin d'un professeur ni même d'un CD *Mozart pour les petits*. Investissez dans deux ou trois instruments bon marché (les crécelles et les casseroles avec des cuillers en bois font parfaitement l'affaire) et vous voilà parés...

Si la musique vous tient particulièrement à cœur, passez-en beaucoup dans la maison et la voiture et chantez pour votre bébé. Si vous voulez vraiment aller au fond des choses, créez votre propre « cours de musique » dans votre living et invitez d'autres parents et bébés à se joindre à vous. Chacun apporte un instrument ou deux (les petits pots à couvercle emplis à moitié de haricots secs font de parfaits maracas) à poser par terre pour les petits et chacun à son tour suggère des noms d'artistes à écouter. Et voilà ! Votre bébé est inscrit à un cours de musique, souple et gratuit.

Il en va de même pour les autres types de cours qui font fureur pour les bébés : langage des signes, gymnastique, langues étrangères, natation. Inscrire un bébé dans ces disciplines à un âge tendre ne lui garantit pas une « longueur d'avance » et y renoncer ne signifie pas qu'il sera désavantagé. Vous avez tout le temps de décider quels cours peuvent être les plus agréables pour lui comme pour vous ; en attendant, profitez de ce qui vous intéresse tous les deux tous les jours. Si vous aimez l'eau, emmenez-le à la piscine ; si vous êtes passionné de yoga, associez-le à vos postures à la maison ; si vous souhaitez apprendre l'italien, passez vos cassettes dans la voiture. Vous n'avez pas besoin de prendre des cours pour toutes ces activités.

Évidemment, si vous avez terriblement envie d'une activité programmée, faites un test de cours, notamment si votre bébé a bientôt 1 an, ou plus. Mais si ce n'est pas le cas, ne craignez rien : il pourra entrer dans l'équipe de natation du collège ou faire une maîtrise d'espagnol, même sans avoir fréquenté un cours dans sa petite enfance.

Voir aussi « Ne vous forcez pas à subir la musique des enfants » (p. 121) et « Il est bon pour tout le monde de ne "rien faire"de la journée » (p. 137).

VOUS TROUVEREZ VOTRE PROPRE ZONE DE CONFORT *parental*

Tant de questions vont tourbillonner dans votre esprit avant la naissance de votre bébé, ainsi que pendant ses premières semaines, voire ses premiers mois. Outre les questions concernant spécifiquement votre bébé, beaucoup se rapporteront directement à vous : « Devrais-je voyager avec mon nourrisson ? reprendre le travail ou rester à la maison ? choisir une nourrice ou une crèche ? le nourrir au sein ou au biberon, et pendant combien de temps ? tenir la maison en ordre ou autoriser le désordre ? laisser mon bébé pleurer, et pendant combien de temps ? » Toutes ces questions – et bien d'autres – peuvent être regroupées dans une question générale : « Quelle sorte de parent serai-je ? »

« J'ai eu l'impression de faire une crise d'identité, raconte un père à propos de sa première année avec son premier-né. À chaque choix, j'avais l'impression de me définir comme père et donc je réfléchissais trop à tout. “Devrais-je être le genre de père qui fait ceci ou le genre qui fait cela ?” Au second bébé, j’ai été beaucoup plus instinctif. »

Encore une fois, les parents expérimentés dans l’ensemble sont toujours aux prises avec ces questions parce que de nouveaux scénarios ne cessent de se présenter. Et s’ils n’ont pas toutes les réponses, ils savent une chose : vous finissez par trouver votre propre zone de confort en tant que parent et elle vous est propre. Le fait d’évoluer chaque jour avec votre bébé vous permettra de comprendre ce qui vous convient (peut-être dix minutes de pleurs, mais pas trente), ce pour quoi vous êtes particulièrement doué ou pas. Vous constaterez que votre style d’éducation est totalement différent de celui d’un ami ou d’une voisine et que vous ne pourriez jamais adopter ses méthodes, même si sa famille est heureuse et se porte bien. Vous construirez lentement un système de croyances qui fonctionne pour vous et vous découvrirez les livres, médecins et autres parents avec qui vous êtes d’accord et ceux avec qui vous ne l’êtes pas. Vous affirmerez sans aucun complexe : « Cela ne fonctionne vraiment pas pour nous » sur certains points et sans chercher à vous justifier.

Il est difficile de définir votre zone de confort avant d’y être entré, et vous pourriez être surpris. De plus, s’il s’avère que vous et votre partenaire avez des zones de confort différentes, vous devrez vous appliquer à trouver l’intersection qui vous convient en tant qu’équipe. Si le papa ne voit pas quel est le problème de partir en vacances en avion, alors que la maman préférerait rester à la maison jusqu’à ce que le bébé aille au jardin d’enfants, peut-être pouvez-vous vous mettre d'accord sur une excursion d'un week-end. Maman calmera ses peurs et papa découvrira le travail que représente la préparation d'un voyage. Ceci n'est qu'un exemple dans la longue liste des compromis que doivent faire deux individus pour trouver leur voie vers la constitution d'une équipe ; dans l'idéal, les négociations sont menées avec gentillesse et compréhension de la zone de confort de l'autre. Quand vous avez du mal à trouver un accord, rappelez-vous que, si vous choisissez d'avoir le numéro deux, ce processus sera devenu une seconde nature (Dieu merci !).

VOUS FEREZ PARFOIS DES CHOSES un peu GÊNANTES

Faisons une expérience… Cochez tout ce que vous n'imaginez pas un instant pouvoir faire :

- Préparer (et manger) un ragoût de thon.
- Porter un vieux chouchou ou une casquette pour cacher des cheveux pas lavés, pendant trois jours d'affilée.
- Rester en peignoir de bain toute la journée.
- Posséder plusieurs paires de sabots.
- Pleurer à chaque fois que vous voyez un bébé à la télévision.

- Appeler votre partenaire par le prénom du petit.

- Penser à un rendez-vous médical ou être coincé dans les embouteillages pendant votre « temps personnel ».

- Considérer une visite à l'épicerie en solo comme un luxe.

- Inventer non pas une ni deux, mais trois chansons sur le thème du changement de couche.

- Imiter le barrissement d'un éléphant au milieu du centre commercial pour que votre bébé cesse de pleurer.

- Faire vos courses en pyjama.

- Utiliser votre chemise comme lingette en cas d'urgence.

- Abandonner une soirée au bout de trente minutes parce que votre bébé vous manque.

Si vous avez plusieurs enfants, vous savez que vous ferez l'une de ces choses – et, plus mortifiant encore, de nombreuses choses du même genre – *à plusieurs reprises*. Ne vous flagellez pas. Vous n'avez pas baissé les bras, vous ne vous êtes pas laissé aller et vous ne vous êtes pas transformé en vos parents. Vous êtes simplement dans les premières affres de la parentalité et vous cherchez votre voie. Ne vous inquiétez pas : vous ne resterez pas à ce stade éternellement et, en attendant, vous découvrirez peut-être que vous portez le chouchou ou la barbe avec élégance.

[N°] 78 VOTRE BÉBÉ PEUT REFUSER SON AFFECTION à qui LA DÉSIRE LE PLUS

Ironie du sort : votre mère a attendu son premier petit-enfant pendant des décennies et, à chaque fois qu'elle vous rend visite, elle n'a droit qu'à des hurlements stridents. Ou votre sœur a pris l'avion pour faire la connaissance de son premier neveu et il vomit sur elle et lui manifeste un sentiment proche de l'horreur. Il peut même refuser vos avances ou celles de votre conjoint. D'un autre côté, un ami parfaitement indifférent ou un étranger dans une boutique seront gratifiés de rires et de roucoulements. C'est exaspérant ! Ce phénomène étrange est courant ! donc, mieux vaut vous y préparer. Sachez que des membres de la famille particulièrement sensibles pourraient être découragés, voire fâchés, du manque d'enthousiasme du bébé pour leurs visites. Que cela ne vous stresse pas et ne le prenez pas comme une attaque personnelle. Les parents expérimentés ont vécu cette situation auparavant, savent que cela passera... et que personne n'est responsable.

Si vous ne pouvez pas vraiment préparer ou amadouer un nourrisson pour qu'il accueille bien ou apprécie une personne, vous pouvez arranger les choses par des petits détails. Votre bébé est sensible à votre humeur et au ton de votre voix ; veillez donc à accueillir vos visiteurs chaleureusement et à leur laisser le temps de s'habituer les uns aux autres. Si votre bébé paraît nerveux, le tenir dans vos bras un moment contribuera à le rassurer. Ne forcez pas une communication qu'il ne semble pas souhaiter, et peu importe ce qu'en dit votre grand-tante. Mais, une fois que chacun s'est habitué à l'autre, essayez de laisser un peu d'air à votre bébé et au visiteur : vous constaterez peut-être que votre bébé est moins paniqué quand vous êtes hors de la pièce et qu'il a le temps de faire connaissance. Vous pouvez aussi aider les contacts en favorisant les meilleurs moments de la journée et en offrant des conseils sur la meilleure façon de le tenir ou l'activité qu'il adore.

Finalement, le visiteur peut se comporter de façon parfaite et néanmoins ne pas recevoir d'amour. Votre bébé apprendra à connaître et à faire confiance aux autres quand il sera prêt et, comme tout individu, se prendra de sympathie pour certaines personnes plus que pour d'autres sans raison apparente. Le temps viendra cependant où vous le verrez se précipiter pour serrer longuement sa grand-mère dans ses bras ou jouer à cache-cache avec l'oncle qui n'en tirait pas un sourire habituellement. Et, à partir de ce moment, tous les ronchonnements du bébé seront oubliés.

NE SOYEZ PAS *trop* IMPATIENTS

« Quand va-t-il se tenir droit ? Quand va-t-il parler ? Quand va-t-il marcher ? Quand va-t-il dormir mieux ? Quand va-t-il cesser de faire des histoires pendant le changement de

couche ? Quand va-t-il manger de la vraie nourriture ? » Il est facile de se laisser aller à se projeter dans l'avenir et sur ce qu'il apportera de meilleur, plus facile ou plus intéressant. C'est tout à fait normal. Nous nous plongeons dans les livres d'éducation pour anticiper la prochaine étape de l'évolution de notre bébé et nous imaginons à quel point ce sera passionnant. Les nouveaux parents sont également enclins à anticiper les problèmes lointains, comme l'apprentissage de la propreté, le choix de l'école maternelle, et savoir si la maison sera assez grande quand il y aura d'autres enfants, s'il y en a. Au milieu de toutes ces projections, on en oublie parfois de déguster le moment présent. Essayez. Les parents expérimentés se rendent compte que, même si certaines périodes semblent traîner péniblement en longueur, la première année passe en vérité assez vite. Et dès qu'il tiendra debout, le nouveau bébé va disparaître de votre vue. Savourez les moments de lenteur avant qu'il ne commence à courir.

[N°] 80 APPRENEZ À FAIRE LA FÊTE chez VOUS

Votre vie sociale ne doit pas cesser brutalement quand un bébé arrive. Si les sorties en ville sont un grand plaisir, il est probable qu'elles sont moins fréquentes que vous ne le souhaiteriez, vu la coordination, l'énergie et les dépenses qu'elles impliquent. Évitez la baby-sitter et imitez les parents expérimentés : faites la fête chez vous.

TRUC DE PARENT RÉCIDIVISTE

Les goupillons pour biberons lavent merveilleusement les verres à vin et à Martini.

Ayant la chance que nos enfants aient un sommeil profond, nous avons invité des amis sans enfants à des soirées à partir de 20 h 30, pour des dîners livrés, des dégustations de cocktails ou des séances de cinéma, et ce depuis notre premier nouveau-né. Nous avons constaté que les amis sont heureux de faire plaisir et cela a maintenu notre amitié en activité, notamment pendant la première année. Maintenant que nous avons deux enfants, nous avons ajouté une journée « portes ouvertes » mensuelle ; le jeu consiste à ouvrir la maison et à inviter des amis avec ou sans enfants à venir passer un moment. Le moment idéal pour nous est le milieu de matinée quand le bébé dort et l'autre est plein d'énergie positive. Nous sortons une cafetière, une bouteille de Bailey's et des pâtisseries et avons le plaisir de retrouver des copains que nous n'avons pas vus de tout le mois. Le secret est de vous simplifier suffisamment la vie pour avoir envie de le faire, sans vous inquiéter que la maison soit pleine de jouets, de linge qui sèche et de peluches poussiéreuses. Sérieusement, tout le monde s'en moque : ce qui importe à vos amis est de vous voir.

La démarche est la même si vous souhaitez inviter d'autres familles nouvelles chez vous. Si ce n'est pas encore fait, vous vous lierez probablement d'amitié avec d'autres couples ayant des bébés à peu près du même âge que les vôtres, que ce soit par le biais d'un groupe de parents, d'un cours d'accouchement ou simplement en vous promenant dans les environs. Si vous attendez pour partager un repas de trouver une date qui convienne aux parents et aux enfants, que votre maison soit impeccable et d'être certains que votre bébé sera d'une humeur d'ange, cela ne se produira jamais. Maintenant que nous avons notre second enfant, nous ne nous soucions pas d'attendre ce genre de parfait alignement des planètes. Au lieu de cela, nous invitons nos amis et leurs enfants et leur demandons d'acheter des pizzas au passage. Nous dévorons nos pizzas, regardons les enfants jouer, essayons de convaincre les aînés de finir leur assiette et de faire avaler un yaourt aux bébés ; et, en même temps, nous avons des conversations agréables, bien que décousues, et nous apprécions d'être en contact avec d'autres gens pour changer. C'est un plaisir. Personne ne s'inquiète du désordre, avant ou après la visite. Puis, la fois suivante, nous changeons de maison.

TRUC DE PARENT RÉCIDIVISTE

Instaurez une happy hour périodique chez vous pour maintenir votre activité sociale : sortez quelques cacahuètes et noix mélangées, du fromage et du vin et invitez vos copains à faire une halte en rentrant du travail ou sur le chemin du restaurant s'ils sortent le soir.

Rappelez-vous que vous pouvez recevoir du monde, même si la maison est un désastre ou si votre bébé a eu une journée difficile – ce qui se produira sans aucun doute la première fois où vous tenterez l'une de ces réunions chez vous. Lancez simplement les invitations et ne vous posez plus de questions. Laissez-vous aller, levez votre verre et appréciez la compagnie de vos amis ; ils vous aimaient avant la naissance du bébé et veulent rester auprès de vous, quoi qu'il arrive. C'est à vous de leur ouvrir la porte. À votre santé !

Fiez-vous à votre instinct

Les parents expérimentés ne lisent pas tous les livres et probablement pas pour la raison que vous imaginez. Même les parents expérimentés ne se rappellent pas tout des diverses époques de la première année d'un bébé : ce que leur bébé devrait faire à tel moment, tous les symptômes de diverses maladies ou les meilleurs aliments à grignoter. Mais ce qu'ils ont appris et se rappellent, c'est que leur enfant est unique et qu'il n'est pas celui des livres. Cela signifie que toutes les informations et tous les conseils ne s'appliquent pas, quel que soit le nombre de livres consultés. Parfois, vous devez simplement vous fier à votre instinct.

« Après avoir acheté et lu entièrement l'équivalent d'une bibliothèque de livres sur les bébés, à la naissance de mon premier fils, je me suis rendu compte avec le second qu'il fallait que je prenne tous ces livres avec circonspection, dit la maman de deux enfants. Si je ne murmure pas des mots doux à l'oreille de mon bébé pour l'endormir ou ne le nourris pas de purées sophistiquées, il se portera tout aussi bien. Et je n'aurai pas de sentiment d'échec s'il ne réagit pas toujours comme les livres prétendent qu'il le devrait. Chaque enfant est un individu unique et c'est lui qui me dira le mieux ce qu'il aime et dont il a besoin : pas un livre. »

« Après mon premier bébé, j'ai refusé catégoriquement de lire aucun livre sérieux traitant de l'éducation des bébés ou des enfants. Je trouve que je suis beaucoup moins stressée ! »

JANE, MAMAN DE TROIS ENFANTS DE 10, 6 ET 1 ANS

Cela peut être difficile à assimiler pour des parents novices, quand vous commencez tout juste à entendre votre voix intérieure maternelle ou paternelle. Mais faites confiance à cette petite voix et, au fil du temps, vous l'entendrez davantage et lui accorderez plus de crédit. Si vous sentez viscéralement que votre bébé doit être pris dans les bras (même si vous aviez décidé de le laisser pleurer), que ses boutons doivent être examinés ou que la garderie ne lui convient pas, écoutez-vous. Si vous n'êtes pas d'accord avec les conseils prodigués par ce manuel d'éducation par lequel jurent tous vos amis, n'en tenez pas compte. Si les recommandations de votre pédiatre ou de votre puériculteur semblent régulièrement en contradiction avec votre sensibilité, changez d'interlocuteur. Vous êtes les parents. Et si vous devez à votre enfant d'être formés et conscients des choses à faire et de celles à éviter la première année, vous lui devez aussi (et à vous-même) de vous fier à votre instinct personnel.

Quand vous avez recours à des conseillers, choisissez-les avec discernement. Il y a tant de livres parmi lesquels se perdre, sans parler du nombre ridicule de conseils d'éducation présents sur le Web. Comment éviter de lire sept livres différents avec, par exemple, sept méthodes d'endormissement différentes. Cela peut être aussi accablant, ou plus encore, que l'achat de tout l'équipement du bébé. Vous devez limiter vos sources d'information pour éviter de devenir fous. Choisissez un petit cercle stable comprenant, par exemple, votre pédiatre, deux ou trois amis ou frères et sœurs dont vous admirez les techniques éducatives, et peut-être un livre (recommandé par l'un de ces conseillers) qui vous correspond. Sortez de ce cercle quand et si un problème particulier le justifie, mais pas avant.

LES AUTRES COMPARERONT TOUJOURS leur BÉBÉ AU VÔTRE

Croyez-le si vous voulez : cela arrivera dès le premier jour. Tout le monde, de votre sage-femme à votre mère en passant par ce jeune père au parc, vous demandera des détails précis sur votre bébé et comparera le sien au vôtre. Voici quelques phrases que vous entendrez probablement (à plusieurs reprises) au cours des premiers mois :

- *« Combien de temps a duré le travail ? [...] Eh bien, moitié moins que pour le nôtre... »*
- *« Quel âge a-t-il ? [...] Il a l'air bien plus grand [ou plus petit] que ça ! »*
- *« Vous avez de la chance de ne pas avoir à lui brosser les cheveux : mon bébé est né avec la tête couverte de boucles ! »*
- *« Mon bébé se tient droit [rampe, sourit, marche, est sevré] maintenant. Et le vôtre ? »*
- *« C'est merveilleux qu'ils dorment toute la nuit à cet âge, non ? »*
- *« Comment est la courbe de croissance de votre bébé ? Quand le mien avait le même âge, il était hors norme ! »*

C'est un jeu auquel vous ne pouvez pas gagner. Donc, résistez à l'envie d'essayer. Faites-nous confiance, si votre bébé a souri aujourd'hui, le leur a ri ; si le vôtre s'est retourné dans son lit, le leur se tient déjà assis. N'y voyez rien de personnel. Mettez cette attitude sur le compte du besoin profond des nouveaux parents de partager avec d'autres ; et, malheureusement, ce besoin s'accompagne de l'envie irrésistible de montrer leur rejeton sous son jour le plus favorable, notamment le premier, quand chaque étape est si nouvelle et passionnante.

C'est plutôt mignon quand on y réfléchit : ces parents sont vraiment en admiration devant l'être qu'ils ont créé et souhaitent que vous soyez en admiration aussi. Ils baignent dans une fierté et un amour nouveaux, où ils ne voient que le bon, et en fait ils l'exagèrent inconsciemment. Ils n'ont vraiment pas l'intention d'humilier votre bébé. Rassurez-vous : vous pouvez en faire autant. Si ce n'est encore fait, le jour viendra où vous tricherez un peu sur les centimètres gagnés par votre bébé ou le nombre de mots qu'il sait dire (ou, un jour, sa mention au baccalauréat). Donc, d'ici là, comportez-vous comme les parents expérimentés : détendez-vous, souriez, félicitez-les de leur petit génie et rentrez chez vous, persuadés de toutes les fibres de votre être que vous avez le bébé le plus beau et le plus intelligent de la ville.

> *« N'essayez pas d'élever le prochain Obama. Au second enfant, vous vous rendez compte que votre petit est peut-être doué, mais probablement pas. Votre enfant fera peut-être un drive de 275 mètres à 8 ans, marquera 100 buts pendant sa première année de hockey ou lira* Harry Potter *à 3 ans, mais c'est douteux. Appréciez simplement ce que vous avez créé, enrichissez sa vie et cessez de le comparer à l'enfant du voisin. »*
>
> GAËL, PAPA DE DEUX ENFANTS DE 10 ET 7 ANS

VOUS DEVEZ EXPÉRIMENTER

Les parents expérimentés ont eu le temps d'apprendre que tous les problèmes d'éducation ne sont pas résolus par la lecture d'un livre de plus, une conversation avec une autre maman ou en suivant vaillamment le cap de ce qu'on pense être la bonne méthode. Parfois vous devrez essayer, essayer, essayer... C'est la seule façon de trouver ce qui fonctionne maintenant, à cette minute précise, en ce jour de la vie de votre bébé, en évolution constante et unique.

Si, par exemple, vous avez subitement un problème avec le somme du matin, essayez de le coucher une demi-heure plus tôt ou une demi-heure plus tard. Le résultat peut vous étonner. Si la musique qu'il aimait n'est plus d'aucun effet sur sa crise du soir, essayez une promenade rapide en poussette, même s'il est 22 h. S'il refuse tous les petits pots de légumes verts, essayez de les réchauffer ou de les servir froids. S'il demande trop d'attention dans l'après-midi et que vous êtes frustré de devoir être à sa disposition, créez des pôles de découverte dans la maison : tiroirs et placards bas emplis de livres cartonnés ou de boîtes en plastique, jouets cachés sous la table basse. S'il hurle à chaque fois que vous l'attachez dans le siège auto, créez une chanson ou un nouveau jeu qui accompagne ce geste ou essayez de mettre le siège de l'autre côté de la banquette pour changer.

« Quand nous avons décidé que nos enfants partageraient une chambre, il leur a fallu deux à trois semaines pour s'habituer l'un à l'autre, puis ils n'ont plus eu de problèmes de sommeil. Et dire que j'ai passé des heures à m'inquiéter et à me demander si cela allait fonctionner, si c'était la bonne chose à faire, et ainsi de suite. »

PAULA, MAMAN DE DEUX JUMEAUX DE 6 ANS

L'un des fondements de l'éducation réussie d'un bébé (et, plus tard, d'un bambin) est votre disposition à trouver de nouvelles astuces et à les faire évoluer en permanence. Et il n'y a qu'un moyen d'y arriver : faire des essais jusqu'à ce que quelque chose fonctionne. Demandez des idées aux parents qui sont passés par là et, bien entendu, essayez-les toutes. Mais ce n'est pas la fin du voyage. Ce qui marche dans les livres, pour votre sœur ou votre voisine, peut ne pas marcher pour vous et votre enfant aujourd'hui, voire jamais. Plus votre expérience de parent s'accroît, plus il devient clair que seule la méthode des essais permet de constituer votre réserve de « trucs » qui fonctionnent avec votre bébé. Prenez le temps d'essayer tout ce qui vous passe par l'esprit et rappelez-vous que tout ne sera pas efficace. Qu'avez-vous à perdre ? Il y a des chances que vous trouviez une solution miraculeuse à ce qui vous empoisonne la vie aujourd'hui et que vous éprouviez un sentiment de victoire et de devenir un vrai parent expérimenté.

N'ESSAYEZ PAS D'ÊTRE des HÉROS

Nombre de parents novices veulent montrer qu'ils maîtrisent tout. Cela semble une question de fierté (vigoureusement justifiée). Ils font tout eux-mêmes, quittent rarement leur bébé et ne laissent personne les voir peiner. Ils répètent sans cesse que tout est merveilleux, même quand ça ne l'est pas. Ils savent que personne ne peut connaître ou aimer leurs enfants comme eux ;

ils ont donc du mal à se relaxer et à laisser les commandes à quiconque, que ce soit à une nourrice extrêmement compétente ou leurs propres parents. Après tout, la condition de parent est ce qu'ils ont vécu de plus dur et de plus important, et ils veulent gagner brillamment leurs galons.

Ne tombez pas dans ce piège que connaissent bien les parents expérimentés. La maternité ou la paternité n'est pas un examen qu'il faut réussir haut la main pour être digne d'estime : il s'agit d'un processus et vous êtes *censés* apprendre au fur et à mesure. Il n'est pas seulement normal d'avoir besoin d'aide : c'est une bonne chose ; cela donne le ton pour la suite. Voulez-vous être le genre de mère qui fait semblant de tout maîtriser alors que ce dont elle a le plus besoin serait de crier : « À l'aide ! » sur les toits ? le genre de père qui croit être le seul à pouvoir consoler son enfant quand il tombe ou le prendre dans ses bras et l'amuser ? le genre à être incapable de reconnaître qu'une pause s'impose désespérément ? Nous en doutons. Mais si les parents expérimentés admettent régulièrement les failles dans leur cuirasse et essaient de trouver des moments de répit sanitaires à l'écart de leurs enfants, les parents novices disent souvent : « Oh, je vais le faire, je vais le faire : il aime que *je* fasse cela. »

Rappelez-vous que l'assistance est presque toujours disponible, si vous n'êtes pas trop fiers pour la demander. Croyez-le si vous voulez : ces personnes qui vous proposent leur aide *veulent* vraiment vous aider ; donc, si vous leur dites simplement que vous le souhaitez aussi, tout le monde sera content. Et elles peuvent même avoir une façon différente de faire les choses, que votre bébé apprécie (et qui peut être instructive pour vous), si vous l'acceptez ; laissez donc les amis ou la famille se charger de votre bébé de temps à autre. Levez la main et dites à votre partenaire que vous avez besoin d'une nuit de congé. En ce qui concerne les aides rémunérées, l'argent dépensé dans une femme de ménage, une cuisinière ou une baby-sitter peut valoir son pesant d'or quand votre santé mentale est en jeu. N'hésitez pas et utilisez l'argent que vous auriez dépensé en chaussures, séances de cinéma ou dîners au restaurant dans votre ancienne vie pour engager quelqu'un qui passera l'aspirateur, préparera un repas, changera tous les draps de la maison ou emmènera votre bébé au zoo. C'est normal : vous n'avez pas à faire tout cela. Le fait d'avoir besoin ou simplement de vouloir un peu d'aide de temps en temps et de l'exprimer clairement n'est pas un constat d'échec. Tout le monde sait que vous êtes des parents formidables : là n'est pas le problème. Vous rappelez-vous le proverbe africain « Il faut tout un village pour élever un enfant » ? Il est juste et sage. Laissez les autres vous aider et aider votre bébé, et tout le monde s'en portera mieux.

Voir aussi « Formez un cercle de soutien, rapidement » (p. 45) et « Vous pouvez confier votre enfant à des proches » (p. 127).

[Nº] 85

ACCORDEZ À VOTRE BÉBÉ des TÊTE-À-TÊTE avec CHACUN

Autant le temps familial est important, autant il est important de consacrer à votre enfant un temps qui n'appartient qu'à lui avec chacun de vous. Il existe simplement une dynamique différente, et essentielle, qui se développe dans un tête-à-tête. Même si vous êtes absolument à l'aise et en harmonie avec votre partenaire, par exemple, vous vous comportez de façon différente avec votre bébé quand il n'y a pas d'autre adulte en vue. Et vous trouvez de nouvelles solutions inattendues quand vous ne pouvez compter que sur vous-même dans un moment difficile. C'est particulièrement important si l'un de vous est le soutien de famille et jouit de peu de moments avec le bébé.

Le temps que vous passez en tête à tête n'est pas nécessairement un grand événement ni un long moment ; une heure ou deux passées à jouer sur la moquette peuvent suffire à renforcer vos liens avec votre bébé *et* à augmenter votre confiance dans vos capacités éducatives. Papa pourrait bien découvrir un jeu de bain loufoque quand on le laisse se débrouiller avec junior ; maman pourrait inventer un nouveau petit-déjeuner gourmand pendant que papa fait la grasse matinée. Non seulement votre bébé sera stimulé, mais vous aurez aussi une autre compétence à ajouter à votre palette éducative et vous serez fier de vous.

[Nº] 86 VOUS AUREZ L'IMPRESSION DE NE PAS DONNER *assez* à TOUT LE MONDE

« La plupart du temps, je sens que je ne donne le meilleur de moi-même à personne. »

« Quand je suis à la maison, je pense au travail. Quand je suis au travail, j'ai envie d'être à la maison. »

« Je suis en retard pour tout. Ma vie est une course folle de la maison à la garderie, au bureau et retour. »

« Je ne donne pas 100 % à mon bébé, mon partenaire ou mon travail. Je ne peux pas. Et je ne me donne *rien* à moi-même. »

Vous avez déjà entendu ça ? Quel que soit le soin avec lequel vous préparez votre vie postnatale, il est difficile de prévoir à quel point vous vous sentirez écartelé. Les parents qui restent à la maison, comme ceux qui travaillent à mi-temps ou à temps complet, tous ont des difficultés à jongler avec les innombrables sollicitations de leur temps et leur énergie. Habituellement, ce numéro d'équilibrisme s'accompagne d'une bonne dose de culpabilité. Vous pouvez avoir parfois le sentiment de manquer absolument à tout le monde, sentiment particulièrement pénible pour ceux qui se sont toujours sentis assez maîtres de la situation ou tendaient même au perfectionnisme.

Les parents expérimentés ont appris que ce sentiment d'écartèlement peut ne jamais disparaître complètement : il fait partie de la condition de parent comme les marques de bave sur votre chemisier favori et le fouillis dans le living. Avec le temps, vous vous habituerez : vous porterez le chemisier de toute manière et vous enjamberez le bazar sans vraiment le voir. Pour survivre, vous devez le laisser passer à l'arrière-plan. Quand vous vous couchez le soir, pensez à ces petites victoires et soyez assuré que, si la gentillesse et l'amour prédominent dans votre maison, votre bébé se portera plus que bien.

« Avec notre second enfant, nous avons appris à ne pas prendre de décisions inconsidérées concernant l'avenir pendant les trois premiers mois. Après notre premier bébé, j'étais sûre de vouloir rester à la maison et j'ai failli quitter mon travail. Six semaines plus tard, j'étais prête à reprendre le travail. »

ELINOR, MAMAN DE TROIS ENFANTS DE 10, 6 ET 8 ANS

Et vous ? Si la pression semble trop écrasante la plupart du temps, confiez-vous à votre partenaire ou à des proches. Parfois, s'épancher est d'une grande aide ; de même que les thérapies apaisantes comme le yoga, les massages, la méditation et les longues promenades, si vous arrivez à les introduire dans votre emploi du temps. Voyez un thérapeute spécialisé dans les problèmes de famille et d'éducation si cela vous semble judicieux. Choisissez un jour, ou même un après-midi, chaque mois qui sera votre temps personnel, pendant lequel vous ne devrez vous précipiter nulle part et serez où vous avez décidé d'être. C'est à cela que servent les jours dédiés à la santé mentale.

Si vous sentez qu'il vous faut un changement plus radical pour vous satisfaire de votre nouveau rôle, essayez de rédiger un emploi du temps idéal et réfléchissez aux moyens de vous en approcher, que ce soit en négociant vos horaires avec votre patron, en envisageant un changement de carrière ou un partage de poste, ou en reprenant le travail après une période d'arrêt. Si vous êtes chez vous, envisagez de vous adjoindre ou d'augmenter une aide à domicile ou une garde du bébé et, si ce n'est pas faisable, entamez un échange de baby-sitter avec des amis ou des voisins. Soyez patient : il vous faudra peut-être un temps d'expérimentation avant de savoir combien de temps vous voulez consacrer à une activité et à l'autre. Et, évidemment, tout dépend des décisions que vous prenez en couple à propos des finances, des choix de garderie et de vos carrières. Comprenez qu'il peut être long d'atteindre un équilibre dans lequel vous vous sentez bien la majorité du temps, mais vous y arriverez.

VOTRE PROPRE ENFANCE VA ENTRER *en* JEU

Quelque part au fond de vous se cachent de nombreux souvenirs de votre propre petite enfance et de l'ambiance familiale. Beaucoup sont probablement cachés depuis de longues années. Il n'y a rien de mieux que votre première fêlure de parent pour les faire ressurgir.

Nombre de parents expérimentés l'ont appris par expérience avec le numéro un et sont arrivés (avec un peu de chance) à reconnaître certains schémas auxquels ils étaient enclins à se conformer, par habitude et tradition familiale. Peut-être le papa se surprend-il à se mettre en colère plus facilement qu'il ne le souhaiterait (un schéma propre à sa famille) au cours de la première année de son premier bébé ? Si lui et sa partenaire prennent le temps de discuter de l'origine de ce comportement pendant que le bébé grandit et décident consciemment des façons de gérer la situation, tout comme la surprise, les parents novices luttent pour trouver ce genre de recul car ils sont écrasés par leur rôle de parents. Et ils ont simplement peu de temps à accorder à la réflexion.

Le vieil adage selon lequel ceux qui n'étudient pas l'histoire sont condamnés à la répéter se révèle vrai ici. Que vous souhaitiez prendre vos distances avec votre propre éducation ou l'assumer, cette histoire de famille entre en jeu d'une façon ou d'une autre. Reconnaissez-le, parlez-en avec votre partenaire et vous contrôlerez mieux ce qui arrivera ensuite. Réfléchissez à tout ce que vous aimiez et n'aimiez pas dans votre prime enfance, au style d'éducation de vos parents et aux contacts avec votre fratrie. Que vous rappelez-vous ? En quoi cela peut-il affecter votre style de parent ? Comment cela influencera-t-il votre famille ?

Vos parents attendaient-ils beaucoup de vous ? Ou, avec le recul, pensez-vous qu'ils étaient trop laxistes ? Étaient-ils trop absents ou surprotecteurs ? Étaient-ils lunatiques ou d'humeur égale ?

Quelles marques d'amour échangiez-vous ? Vous poser toutes ces questions et poursuivre le dialogue à ce sujet peut vous éviter de répéter des schémas sans être conscients de leur origine. Et pendant que vous réfléchissez à tout ceci, pensez aussi à examiner attentivement les bons souvenirs : les notes en rimes que votre père laissait sur le comptoir de la cuisine, la tradition des biscuits en forme d'animaux le dimanche, la façon dont votre mère encourageait votre intérêt pour l'art. Ce sont des héritages que vous voudrez sûrement transmettre.

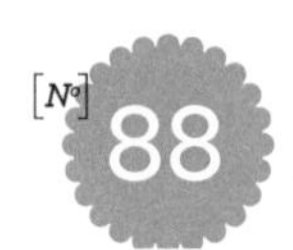

[Nº] 88 VOTRE BÉBÉ SERA UN INDIVIDU, MAIS PAS *celui* QUE VOUS ATTENDIEZ

Cela semble évident, n'est-ce pas ? Mais voilà probablement l'une des leçons les plus dures et les plus importantes avec lesquelles vous vous débattrez la première fois : votre bébé n'est pas vous. Votre bébé n'est pas non plus celui que vous avez imaginé tout au long de votre grossesse. Votre bébé est un individu à part entière, avec sa propre route. Cela signifie que votre enfant pourrait très bien avoir une apparence physique, un tempérament et une personnalité que vous n'auriez jamais envisagés. Et cela sera probablement le cas – ce qui fait partie de l'immense plaisanterie que la maternité ou la paternité semble être parfois.

Certaines de ces différences se révéleront de bonne heure, dans la petite enfance (ou même dans la salle d'accouchement), et les autres apparaîtront plus tard, mais rassurez-vous : elles se manifesteront. Il est bon de se rappeler dans ces moments que vous ne pouvez pas espérer que votre petit rayon de soleil n'ait hérité que des adorables qualités de votre famille – les yeux de votre grand-mère, le rire de votre père – sans certains défauts.

Parfois, la différence est un émerveillement et, comme pour tout nouvel amour, vous l'adorerez encore plus pour toutes les nouveautés qu'il vous découvre. D'autres fois, tout ce qui le rend différent de vous vous semblera insupportable. En ce qui concerne votre premier enfant, vous aurez peut-être la tentation de l'inciter doucement à ressembler à ce que vous attendiez. Vous essaierez de convaincre un enfant calme d'aimer les fêtes d'anniversaire et les grandes réunions de famille. Ou, comme nous, vous essaierez de ramener au calme un bébé débordant de vitalité. Et, s'il est certainement bon d'encourager les qualités qui sont importantes pour vous et votre famille, il est encore plus vital d'entamer le processus long et essentiel consistant à reconnaître *qui est votre bébé* et à l'accepter.

Certainement, votre bébé évoluera et changera énormément au fil de chaque semaine, mois, année et étape majeure, comme tout le monde. Consolez-vous avec la perspective que ce trait de caractère qui vous paraît pénible ou difficile à supporter peut s'atténuer ou même disparaître. Ce voyage est plein de hauts et de bas. Ce qui vous inquiétait le mois dernier sera oublié et ce que vous n'avez même jamais envisagé se profilera à l'horizon demain. Il serait aussi insensé de vous tuer à essayer de décréter un changement de personnalité chez votre enfant que d'essayer de changer votre partenaire, et cela n'aurait pas de sens non plus de rester frustré ou déçu de ce qu'il n'est pas. Réjouissez-vous plutôt de l'individu qu'il est maintenant, aujourd'hui, en ce moment. Essayez de terminer chaque journée en parlant des bons côtés.

« Je ne suis pas sûre qu'aucun de nous apprenne beaucoup au premier enfant en matière de résolution des conflits, car nous avons le temps d'hésiter. Je remarque que mon troisième enfant, notamment, gère bien ses "affaires" et je soupçonne que c'est parce que je n'avais pas la capacité de me précipiter à son aide immédiatement. »

JODY, MAMAN DE TROIS ENFANTS DE 8, 6 ET 2 ANS

Au second enfant, vous vous rendrez compte qu'une partie de l'émerveillement (et l'immense défi) de cette aventure est de ne pas savoir où elle mène, tout en acceptant le potentiel de cette personne en plein développement. Soyez aussi patient que possible et ouvrez les yeux sur l'individu qui grandit devant vous plutôt que d'imaginer celui que vous pensiez voir apparaître. Pour citer l'un des livres favoris de ma fille, *Pinkalicious*, quand vous choisissez de devenir parent : « Vous avez ce que vous avez et vous ne vous fâchez pas. » Des mots à ne pas oublier.

UN PEU DE TÉLÉVISION NE FAIT *pas* DE MAL

Nous n'avons jamais allumé la télévision avec notre premier bébé. Sérieusement, *jamais*. Nous imaginons que notre premier enfant pensait que l'écran plat était une œuvre d'art moderne. Les seules images qu'elle a vues avant l'âge de 2 ans étaient des extraits de matchs de hockey alors qu'elle se dirigeait vers son lit (d'ailleurs quand elle a vu une TV dans un livre, elle l'a appelée « hockey »). Notre second enfant ? Il se peut que son premier mot ait été « Ariel » ; elle voit régulièrement des scènes de *La Petite Sirène* et de *Cendrillon* et – ce qui n'est pas étonnant – elle est fascinée par toutes les couleurs, la musique et le mouvement (plus l'excitation de sa sœur). Nous devons littéralement l'arracher au lecteur de DVD.

> ***« Tout est sacré la première fois : l'heure de la sieste, le choix de la baby-sitter, le choix des aliments, etc. Je me demande souvent si cela a favorisé la mentalité d'"élu" de notre premier enfant. Je suis une adepte des habitudes réglées, mais un peu de spontanéité et de désordre pourrait aider un premier-né à s'adapter plus rapidement. »***
>
> **JODY, MAMAN DE TROIS ENFANTS DE 8, 6 ET 2 ANS**

Mettons-nous volontairement notre bébé devant la télévision ? Non. Mais est-ce que nous nous inquiétons si elle y est exposée indirectement les rares fois où elle est allumée ? Non. Il nous paraît simplement stupide de nous priver de notre feuilleton préféré, que nous regardons rituellement en famille le samedi matin sur le canapé, sous prétexte qu'elle est éveillée et pourrait regarder l'écran de temps en temps. Donc, quand vous voulez voir votre émission favorite ou la dernière mi-temps d'un grand match, ne vous privez pas trop... dites-vous simplement que, si votre bébé était un deuxième (ou troisième, ou quatrième) enfant, il en verrait beaucoup plus.

VOUS POUVEZ FRÉQUENTER DES MAISONS *sans* ENFANT

Vous redoutez d'aller à un brunch chez une amie célibataire en raison de l'abondance d'objets fragiles et de l'absence d'équipements de sécurité pour les enfants ? Vous êtes nerveux à l'idée de passer le week-end chez votre belle-mère car vous dressez mentalement la liste de tous les dangers pour le bébé, des outils électriques qui traînent sous le porche au chien affectueux et bondissant ? Il est naturel de vouloir emmener votre enfant uniquement dans des lieux sûrs, protégés et conçus pour les bébés. Mais c'est terriblement restrictif. Avec un peu d'organisation en amont, vous pouvez rendre visite à vos amis et à votre famille sans enfant avec votre bébé, en toute décontraction. (Et voyez les choses ainsi : si quelques objets sont cassés, couverts de bave ou si bébé fait pipi dessus, ce sera une expérience instructive pour tout le monde.) Quand les parents expérimentés savent qu'ils vont séjourner dans une zone sans bébé, ils prennent les précautions suivantes sans hésiter :

- **PENSEZ AUX ANIMAUX.** S'il y a dans la maison des chiens ou des chats qui n'apprécient pas les enfants, demandez (à l'avance) qu'on les mette à l'extérieur ou dans une partie isolée de la maison et que les mangeoires soient hors d'atteinte du bébé.

- **RANGEZ LES OBJETS FRAGILES.** C'est du bon sens, mais si votre bébé rampe ou se redresse en s'accrochant partout, les vases en cristal et autres bibelots doivent être mis à l'abri. Aidez votre hôte à les ranger dès votre arrivée afin de pouvoir vous détendre ensuite.

- **ÉCARTEZ LES RISQUES D'ÉTOUFFEMENT.** Avant de laisser votre bébé se promener en toute liberté, cherchez les bols de cacahuètes sur les tables basses, les pièces de monnaie, les perles décoratives ou les galets, et les cordons. Cela ne prend que quelques minutes de tout poser en hauteur.

- **SURVEILLEZ LA NOURRITURE ET LES BOISSONS.** Rappelez-vous que les personnes sans enfant laisseront leurs tasses et leurs verres sur les tables basses sans réfléchir, exactement comme vous le faisiez auparavant. Les boissons, surtout le café très chaud, doivent être gardés hors de la zone de reptation du bébé, de même que les aliments interdits.

- **Bloquez l'accès à l'escalier.** Un meuble bien calé ou même des coussins de canapé interdiront provisoirement l'accès à l'escalier à un bébé alpiniste.

- **Vérifiez les prises de courant.** Normalement, vous surveillerez votre bébé d'assez près pour éviter qu'il explore les prises électriques, mais, si vous êtes particulièrement inquiets, emportez des cache-prises dans le sac à langer (ou un rouleau de ruban adhésif peut être utile en cas d'urgence).

Si vous prévoyez de rester plusieurs heures ou de passer la nuit sur place, envisagez d'emporter un porte-bébé, un parc, une chaise haute portable ou un siège pour bébés, de façon à avoir un endroit sûr où mettre bébé pour des périodes brèves.

« DISCIPLINE » N'EST PAS un GROS MOT

Votre nouveau bébé ne vous en veut pas (même si cela en a parfois l'air). C'est juste que, quand votre adorable petite chose va commencer à explorer le monde, elle va se rendre compte du contrôle qu'elle acquiert lentement sur son environnement, et cela signifie qu'elle va commencer à exercer ce pouvoir, consciemment ou non. Tous les nouveaux parents vont chercher des conseils sur la façon d'influencer ce nouveau comportement et ce mot – *discipline* – peut se présenter. Mais, avant de rejeter cette notion comme une façon détournée de parler de « punition », apprenez à adopter le mot comme il devrait s'appliquer à votre bébé : le discipliner consiste à lui donner une éducation cohérente et volontaire qui l'aide à appréhender le monde.

La racine latine du mot *discipline* est *discere* qui signifie « apprendre ». Le premier rôle du parent est celui d'enseignant et il commence au tout début. Non, vous n'allez pas apprendre tout de suite l'alphabet à votre bébé ni les paroles de sa chanson préférée, ni même la différence entre le bien et le mal. Il n'est pas encore temps d'envisager la pause de réflexion ou les bons points pour lui enseigner un comportement correct. Mais vous allez rapidement lui enseigner des compétences vitales comme se calmer lui-même, éviter les choses brûlantes ou dangereuses, communiquer et s'adapter au monde extérieur, hors de votre protection, et plus encore. Vous allez également entrer dans l'apprentissage interminable du comportement quotidien, consistant par exemple à ne pas jeter la nourriture du haut de sa chaise ou tirer la queue du chat.

Un bon exemple de discipline est le moment où vous décidez de transférer votre bébé dans sa propre chambre. Indépendamment des méthodes choisies, il y a là une occasion d'apprentissage pour le bébé. Si vous passez par une phase difficile incluant des pleurs et l'anxiété de séparation, il est vital de vous rappeler que, dans chaque nouvelle expérience, l'inconfort fait partie du processus. C'est vrai pour les bébés, les enfants et les adultes, mais, à travers cet inconfort et cette expérience instructive, nous grandissons. Vous et votre partenaire devrez fixer vos limites encore et encore, mais rappelez-vous que l'objectif ultime est d'*apprendre* à votre enfant une nouvelle compétence vitale. Et, avec tout ce que vous lui enseignez, vous, parents, apprenez aussi quelque chose.

NE PIQUEZ PAS UNE CRISE PARCE QUE VOUS ne perdez pas VOS KILOS en trop

Si vous ressemblez à la plupart des couples, vous allez vous rendre compte tous les deux – quand vous aurez le temps de faire une pause et de vous regarder – que la condition de parent s'accompagne de quelques kilos supplémentaires. C'est normal. Vous avez une multitude d'autres sujets d'inquiétude pour l'instant ; donc, cela ne vaut pas la peine de fondre en larmes si votre jean d'avant-grossesse ne vous va plus (et pourtant il est probable que vous pleurerez à un moment donné). Cependant, surtout pour les mamans, le corps postnatal peut devenir une question extrêmement émotionnelle.

Pourquoi cette prise de poids particulière semble-t-elle beaucoup plus dramatique que les quelques kilos qu'on prend régulièrement en hiver ou pendant les vacances ? Il peut y avoir de multiples raisons personnelles, dont l'inquiétude que votre charme décline avec la maternité, de ne jamais retrouver votre corps d'avant ou de n'arriver à rien faire ces jours-ci.

La perception de soi et l'amour-propre peuvent souffrir la première année, quand vous essayez de trouver votre voie dans un rôle totalement nouveau, dépensez la moindre parcelle de votre énergie dans une tâche parfois ingrate et remettez en question vos compétences comme tous les choix qui vous ont menée ici. Le jean trop serré peut être la goutte qui fait déborder le vase. Après tout, si vous étiez mince et tonique, vous auriez une forme d'enfer, non ? Ces photos criminelles de « corps après un bébé » en couverture des magazines n'aident pas non plus ; elles glorifient des corps hollywoodiens irréalistes qui reprennent forme à une vitesse ridicule grâce à une ronde de diététiciens, grands chefs, coachs et nounous, pendant que vous faites la queue à l'épicerie avec les couches et la crème glacée.

Lâchez un peu de lest. Les mères expérimentées ne savent que trop que vous êtes en train de faire votre première année d'apprentissage du métier le plus difficile du monde et que vous réussissez merveilleusement. Votre corps ne vous a pas trahie ; en réalité, avec la grossesse et l'accouchement, il a réussi son œuvre la plus stupéfiante et il continue à se déplacer, se courber, s'étirer et se soulever un millier de fois par jour. Commencez par remercier votre corps pour le travail accompli et essayez d'être fière de lui et de ses rondeurs. Vous avez fait l'équivalent de dix marathons et vous réalisez en permanence un travail très physique, même si votre corps ne semble pas toujours le montrer.

VOS SENTIMENTS SERONT PARTAGÉS au sujet de LA PARENTALITÉ

Évidemment, tous les parents passent par des moments où ils se sentent submergés et stressés et, avec un peu de chance, vous apprendrez à les reconnaître. Mais qu'en est-il de ces sentiments plus profonds, inquiétants, de cette petite voix dans votre tête qui dit : « Peut-être toute cette histoire de bébé est-elle une erreur ? »

Quasiment tous les parents avec lesquels nous avons discuté ont trouvé les premiers mois plus exigeants qu'ils ne l'avaient jamais imaginé et ont ressenti parfois la perplexité, la crainte, la colère et l'impression d'être piégés. Beaucoup ont admis, anonymement, qu'ils avaient été surpris d'avoir des doutes à propos de l'entreprise, mais ils les ont eus et ils étaient profonds. Une maman au foyer d'un bébé souffrant de coliques a ressenti la panique très tôt. « Je n'arrêtais pas de dire à mon mari que le bébé était cassé, reconnaît-elle. Je voulais qu'il le reprenne. »

Pour d'autres, c'est venu plus tard, même pendant des périodes où, en surface, tout semblait aller bien. « Il y a des moments d'émerveillement, dit le père d'un bébé de 9 mois. Mais il y a aussi ce sentiment de "qu'ai-je fait ?" »

Impossible d'enjoliver la situation : la parentalité est dure. Et il n'y a pas moyen de revenir en arrière. Comme toute énorme entreprise dans la vie, le plus difficile est souvent le début, quand tout est nouveau et étrange, et totalement différent de tout ce que vous aviez pu imaginer. Si vous avez programmé, espéré et attendu que ce moment arrive enfin, vous risquez d'être surprise et honteuse de votre ambivalence une fois que vous serez plongée dans la réalité. Si la grossesse a été plus spontanée, vous pouvez vous sentir prise au dépourvu. Mais, contrairement aux autres grandes entreprises, comme un changement de travail ou de ville, il peut être difficile d'avouer, même à soi-même, que les choses ne se passent pas comme on l'avait imaginé.

Nombre de parents novices se sentent trop coupables pour exprimer ce qu'ils ressentent vraiment : échec, regret, inquiétude, incompétence, ambivalence. « J'ai tellement de chance d'avoir un enfant en bonne santé après de nombreuses tentatives de grossesses ratées, dit une autre amie. Donc, comment ne serais-je pas heureuse ? Tout le monde s'attend à ce que je le sois ! » Les nouveaux parents qui gèrent ces émotions complexes sont souvent souriants et prétendent que tout va formidablement bien, puis s'effondrent en larmes dans leur voiture sur la route du supermarché, aspirant à une autre vie.

« En fin de compte, notre premier-né sera toujours notre premier-né, qu'il soit bébé ou plus grand. Chaque étape que franchit Kate est une première expérience pour mon mari et moi, d'un point de vue de parents. Nous nous rappelons chaque jour que nous traversons des territoires inexplorés. »

JANE, MAMAN DE TROIS ENFANTS DE 10, 6 ET 1 ANS

Ces sentiments mélangés vont et viennent, mais ne disparaissent jamais. Parfois vous sentirez un regret intense de la vie que vous auriez pu vivre sans enfant. À d'autres moments, ce sera l'envie fugace et douce-amère de retrouver les plaisirs que vous partagiez avec votre partenaire avant la naissance du bébé. Puis, de façon aussi inattendue qu'ils sont arrivés, ces sentiments disparaîtront, momentanément, quand vous vous épanouirez dans votre nouvelle famille. Rappelez-vous que ce ne serait pas la vraie vie si vous ne remettiez pas vos choix en question, si vous ne revisitiez pas les chemins pris ou évités et ne pleuriez pas votre vie antérieure.

Prenez exemple sur les parents expérimentés et n'enterrez pas vos sentiments à propos de ce changement de vie que son la maternité ou la paternité et le choc de la surprise. Parlez-en avec votre partenaire et avec des amies qui sont dans le même bateau. Choisissez un couple de parents expérimentés qui donne des avis sensés ou savent écouter et invitez-les chez vous. Choisissez de vous confier à un professionnel si vous en ressentez le besoin. Rappelez-vous qu'il est rare qu'une chose importante de notre vie se passe exactement comme nous l'avions imaginé, mais finalement tout se passe bien.

Voir aussi « N'ayez pas peur de vous plaindre » (p. 133) et « Formez un cercle de soutien, rapidement » (p. 45).

AMUSEZ-VOUS EN INTRODUISANT les ALIMENTS SOLIDES

« L'un des premiers aliments solides de mon second enfant a été des chips quand il avait 7 mois, admet la maman de deux enfants. La dame assise à la table voisine avait l'air choquée ! »

Les nouveaux parents ont tendance à être beaucoup plus vigilants que les parents expérimentés sur ce qui pénètre dans la bouche de leurs enfants. Tous les autres livres, sans parler de votre médecin, vous parlent longuement de ce qu'ils ne doivent *pas* consommer la première année. Mais qu'est-ce qui est *bon* pour votre bébé ? Qu'aimera-t-il ?

Une fois que votre médecin aura confirmé que votre bébé est prêt à absorber des aliments solides (ver 6 mois), on vous conseillera probablement de commencer par des céréales infantiles à base de riz, suivies par des fruits et légumes égouttés, puis des aliments à grignoter, en évitant les aliments cités dans la liste « Ce qu'il ne faut pas manger avant 1 an ». Heureusement, à peu près n'importe quel aliment est autorisé à être grignoté du moment qu'il est coupé en morceaux assez petits et cuit à cœur pour être tendre. En fait, de nombreux pédiatres pensent qu'une version en purée de ce que vous mangez aura plus de goût et intéressera davantage votre bébé que des petits pots. Réfléchissez à ce que vous préféreriez manger.

TRUC DE PARENT RÉCIDIVISTE

Les aliments pâteux sont plus faciles à manier à la cuiller pour un bébé que des aliments en pot ou de la compote de pommes liquides, et c'est important quand vous avez les mains occupées. Essayez la salade de thon, le yaourt à la grecque, les flocons d'avoine, les macaronis au fromage bien cuits ou le houmous pour l'entraînement à la cuiller.

Le conseil typique est de commencer par des aliments simples et d'attendre trois ou quatre jours avant d'introduire un nouvel aliment pour vérifier que le bébé ne présente pas d'allergie, même si la majorité des parents ne se souvient pas d'avoir strictement suivi cette règle. Puis, quand votre bébé entre dans la phase de 9 à 12 mois, vous pouvez vous détendre légèrement et commencez à vous amuser dans les menus. Après tout, c'est l'initiation à l'univers délicieux et merveilleux de la nourriture !

TRUC DE PARENT RÉCIDIVISTE

Cette désignation d'aliment pour bébés que vous voyez sur les petits pots est un artifice de marketing. N'importe quel aliment est bon pour votre bébé, du moment qu'il n'est pas sur la liste « Ce qu'il ne faut pas manger avant 1 an ».

À vrai dire, les parents expérimentés n'ont pas toujours le temps de préparer des « aliments pour bébés » spéciaux pour un membre de la famille, encore moins de le nourrir à la cuiller à chaque repas. Leur solution ? Le plus tôt possible, ils proposent à leur bébé des petites portions du repas familial ; cela signifie que, si le menu des grands comporte du pain de viande, de la purée et des haricots verts, le bébé mangera la même chose. Et généralement c'est ce qu'il *veut* manger de toute façon.

« Je me vois encore faire des plateaux recherchés de premiers aliments hachés, plus tous ces petits pots, se rappelle une maman. Ça demandait tellement de préparation. Notre second enfant ne supportait que les aliments pour bébés ou d'être nourri par quelqu'un, pendant les deux premiers mois d'aliments solides. Par la suite, elle hurlait si elle ne mangeait pas la même chose que nous. C'était beaucoup plus simple de hacher nos repas et de la laisser se servir. Tout d'un coup, je pouvais manger aussi ! »

TRUC DE PARENT RÉCIDIVISTE

Résistez à l'envie d'acheter une chaise haute rembourrée, avec coussin : elle offrira seulement plein de recoins où s'accumuleront les aliments collants. Les bébés portent déjà une couche bien rembourrée et sont très bien installés dans une chaise en plastique moulé, beaucoup plus facile à nettoyer au jet, encore et encore.

Évidemment, les seconds enfants goûtent également des choses que leurs parents n'autoriseraient jamais – bonbons, biscuits salés – grâce à ces frères et sœurs plus âgés et serviables qui « partagent » avec eux sur le siège arrière de la voiture. Et, qui sait, tout cela en fera peut-être des gourmets plus aventureux plus tard.

> ***« Un peu de chocolat ne les tuera pas ! Mes beaux-parents ont ri quand ils ont vu mon fils de 1 an manger du chocolat à Noël ; ils nous ont rappelé que notre fille n'y a pas eu droit avant l'âge de 3 ans ! »***
>
> **LYNE, MAMAN DE DEUX ENFANTS DE 4 ET 1 AN**

À ce stade, n'évitez pas par principe les saveurs fortes ou les épices ; pensez-vous que dans d'autres cultures les bébés sont cantonnés à la compote de pommes et au riz ? Une fois que vous avez le feu vert de votre pédiatre et que votre bébé est physiquement prêt à faire des expériences, laissez-le goûter votre *pad thaï* avec du tofu, les *burritos* aux haricots et au fromage, le poulet au curry ou le *chili* avec du pain de maïs. S'il cherche désespérément à attraper vos rondelles d'oignon frites, laissez-le en croquer un petit morceau. Bien entendu, vous devrez éviter les allergènes évidents, notamment s'il existe dans votre famille des antécédents d'allergie alimentaire. Le jeu consiste à faire preuve de bon sens et à le laisser explorer. Il vous fera comprendre ce qu'il aime ou n'aime pas. Encouragez l'enthousiasme débridé qu'il montre probablement pour toutes sortes d'aliments ; après tout, il survivra à coups de gratins de macaronis et de sandwichs au jambon plus vite que vous ne l'imaginez.

[N°] 95 LE STRESS FINANCIER DES PARENTS peut ÊTRE IMPORTANT

Si vous interrogiez des parents expérimentés sur le coût financier de l'éducation d'un enfant, vous pourriez vous attendre à ce qu'ils vous donnent un chiffre. Il est plus vraisemblable qu'ils souriront, hausseront les épaules et répondront : « Oh, cher ! » Il ne fait pas de doute que la majorité des nouveaux parents sous-estiment le coût potentiel d'un enfant. Bien sûr, beaucoup diront qu'élever un enfant n'est pas une question d'argent, mais d'amour, de famille… et nous sommes d'accord. Mais ignorer ce point de départ d'une famille n'est pas seulement discutable : cela peut devenir désastreux.

TRUC DE PARENT RÉCIDIVISTE

Une fois que vous pourrez localiser les coûts, vous découvrirez les stratégies simples d'économies utilisées par les parents expérimentés, comme les boutiques de dépôt-vente, les échanges de baby-sitting et les activités gratuites.

Selon les experts auxquels vous vous adressez, le coût de l'éducation, de l'enfance à l'âge adulte, peut être stupéfiant.

Indépendamment de la position de votre enfant sur l'échelle des coûts, c'est vous qui payez les factures ; il est donc judicieux de vous préparer du mieux possible. Trouvez un planificateur financier. Décidez de ce qui est important ou non, tant dans ce que vous dépensez pour vous comme parents que dans ce que vous comptez dépenser pour votre enfant. Parlez-en ensemble pour être sûrs que vous êtes sur la même longueur d'onde. Les vacances lointaines sont-elles d'une importance capitale ? Une école privée est-elle nécessaire ? Êtes-vous d'accord pour chiner des meubles dans les brocantes de façon à dépenser plus ailleurs ?

« Avec ma première fille, je ressentais le besoin de lui acheter ce qu'il y avait de mieux. Je n'allais pas donner à mon petit un tapis d'éveil sur lequel un autre avait déjà bavé. J'ai donc dépensé des sommes monstrueuses pour des équipements dont on n'a besoin, en moyenne, que trois ou quatre mois, au maximum, et qui tenaient trop de place pour que je les garde pour le suivant. Avec le second, nous avons emprunté ou acheté des articles d'occasion de tout ce que nous avons pu – couffin, balancelle, poussette, chaise haute – parce que nous savions que nous ne les utiliserions pas longtemps et les repasserions à quelqu'un. »

JENNA, MAMAN DE DEUX ENFANTS DE 5 ET 3 ANS

Bien que rien ne vous oblige à prendre des décisions définitives maintenant – et vos points de vue évolueront sans aucun doute avec le temps –, commencer à réfléchir dès à présent peut vous éviter des surprises ultérieurement. (« Tu as dépensé *combien* pour ça ? ») Et, dans la mesure de vos possibilités, mettez de l'argent de côté en cas de besoin et laissez les intérêts composés faire des miracles.

Au fur et à mesure que votre enfant grandira, vous serez exposés à diverses dépenses (facultatives ou non) qui accompagnent un bébé ; soyez conscients que l'addition de petites dépenses finit par faire de grosses sommes. Il est vite fait d'être entraînés dans des dépenses pour ce premier enfant ; évidemment, vous voulez pour lui ce qu'il y a de mieux dans tous les domaines. Mais plus tôt vous commencerez à économiser l'argent de ce sixième pull-over ravissant de style à peu près équivalent aux précédents, plus tôt vous allégerez le stress financier futur. Et, si vous avez besoin d'un argument supplémentaire, c'est une grande leçon de gestion qu'apprendra votre futur bénéficiaire d'argent de poche.

VOUS ÊTES AUTORISÉS À ÉVITER la grande FÊTE D'ANNIVERSAIRE

Notre premier bébé est né en août et, quand les gens roucoulaient et lui demandaient : « Et qu'est-ce que tu auras pour Halloween ? », nous avons appris à répondre avec un sourire : « J'aurai 8 semaines ! ». Étions-nous vraiment censés affubler un nouveau-né d'un déguisement ? Le scénario était le même pour Noël, quand les membres de la famille attendaient une photo d'elle avec le Père Noël, dans une tenue spéciale pour l'occasion, évidemment. Nous avons dû justifier notre manque de motivation pour emmener un bébé faire la queue dans la foule et la déposer sur les genoux d'un inconnu. Pour son premier anniversaire, nous avons toutefois respecté les conventions et avons organisé une petite fête traditionnelle avec des invités, des pochettes-cadeaux, des décorations et un gâteau. La fête était amusante et c'était quelque chose que nous avions vraiment envie de faire.

Les nouveaux parents semblent penser qu'on attend d'eux ces repères au long de l'année et qu'ils trahiraient leurs enfants ou décevraient les grands-parents s'ils n'observaient pas ces rituels. Et les parents expérimentés ? Ils sont trop fatigués ou occupés pour s'en soucier, sans parler de présenter des excuses. Ils font les choses qui comptent pour eux ou pour leurs enfants et ne s'occupent pas du reste. Vous êtes autorisés à en faire autant, même avec le premier bébé. « J'ai commencé à prévoir la fête d'anniversaire de mon premier bébé plusieurs mois à l'avance, dit une amie. Pour mon second, ça s'est limité à ce que je ressentais comme l'essence d'un anniversaire : un cadeau, une bougie, un dessert. Nous avons chanté et pris des photos et nous avons mis des chapeaux pointus parce que ma fille aînée y tenait. Il y avait juste la famille immédiate et je m'en souviens aussi bien, si ce n'est mieux... sans qu'aucun stress soit lié au souvenir. »

[N°] 97

ABBANDONNEZ L'IDÉE D'UN FOYER sans DÉSORDRE

Regardons les choses en face : les bébés arrivent avec une quantité d'affaires disproportionnée dès le début, qui menace d'envahir votre maison au quotidien. Trébucher en permanence sur des jouets ou autres n'est pas seulement un exercice frustrant, mais dans les jours difficiles cela peut évoquer une coulée de boue qui balaie votre vie précédente, paisible et ordonnée. Les parents expérimentés entrent dans trois catégories quand il s'agit de gérer cette réalité :

1. ***Ceux qui ont complètement baissé les bras et acceptent le fouillis.***
2. ***Ceux qui essaient en permanence de faire le vide, nettoyer et maintenir un semblant d'ordre.***
3. ***Ceux dont l'intérieur ne montre absolument aucune trace d'enfants.***

Nous sommes assez convaincus que la première catégorie est la plus satisfaite, la deuxième la plus courante (probablement la plus exaspérée) et la troisième – disons – la plus angoissante.

Vous avez sans aucun doute déjà constaté le désordre qui accompagne un enfant. Si vous faites partie de ces personnes qui aiment que chaque chose soit à sa place, il peut être décourageant de voir votre intérieur maintenant encombré d'un couffin, un lit à barreaux, une balancelle, une table à langer, un siège pour bébés, un porte-bébé, une poussette, un tapis d'éveil... sans parler des vêtements, jouets et livres. Viendra-t-il jamais un jour où vous ne trébucherez pas sur la boîte géante de couches et où vous ne vous écraserez pas un orteil sur la barrière de sécurité ? Certainement. Mais vous trébucherez alors sur le tricycle et vous écraserez l'orteil sur le coffre à déguisements. Il y a toujours tout un attirail et, que cela vous plaise ou non, quand les enfants grandissent, parfois leurs affaires aussi.

Le conseil des parents expérimentés ? Laissez aller un petit peu. Jusqu'où, c'est vous qui en décidez ; mais il est important que vous et votre partenaire parveniez à un accord, de façon à sentir que vous travaillez ensemble pour garder votre environnement dans un état qui vous convient. Vous n'êtes pas obligés de laisser toute la maison se transformer en zone réservée au bébé, ni de vous battre pour qu'elle paraisse en ordre parfait, parce que ces deux options provoqueront un stress excessif dont vous n'avez franchement pas besoin.

> ***« Les petits ne connaissent que ce que vous leur montrez. Le fils de l'une de mes meilleures amies a eu pour chambre un dressing jusqu'à l'âge de 5 ans. Ça a merveilleusement fonctionné pour tout le monde. »***
>
> **ELIZABETH, MAMAN DE DEUX JUMEAUX DE 1 AN**

Prenez les décisions fondamentales concernant ce qui est vraiment important. Vous pouvez décider, par exemple, que les vêtements devenus trop petits seront stockés ou donnés immédiatement à un organisme caritatif et que tous les jouets seront ramassés sur le sol et rangés dans des corbeilles avant le coucher du bébé. C'est faisable, et, une fois que votre bébé se tiendra droit, vous pourrez solliciter son « aide » pour ranger ses affaires – et cela fera partie du rituel du coucher. Ou vous pouvez préférer le faire deux fois : une fois au moment de la sieste, de façon à mieux vous détendre, et à nouveau au moment du coucher. C'est parfait aussi. Si vous avez la chance de disposer d'une pièce supplémentaire ou d'un grand placard, vous pouvez choisir d'y ranger tous les articles portables, qui ne rejoindront les autres espaces de vie qu'en cas de besoin. L'essentiel est de ne pas tomber dans le piège de la même corvée de rangement répétée une douzaine de fois par jour – ce qui vous donnerait seulement l'impression de pousser le rocher légendaire vers le sommet de la montagne sans jamais atteindre celui-ci. Et ne tombez pas dans l'autre piège qui serait de vous sentir nulle si votre maison est en désordre. Les petits *devraient* être accompagnés d'un peu de fouillis.

« Ma voisine a deux enfants, une petite boîte de jouets dans le living, et absolument aucun fouillis ; même quand je passe à l'improviste, il n'y a pas même un livre sur la table basse ou des chaussures entassées près de la porte, raconte une amie. Vous ne pourriez même pas dire qu'elle a des petits. Mais je ne suis même pas jalouse. C'est trop étrange. »

[Nº] 98

IL PEUT ÊTRE FACILE d'être « VERT »

Au cours de la dernière génération, le concept de « vie en vert » est apparu à la une des journaux. Et à juste titre. Il n'est pas étonnant que ce sujet surgisse dans les conversations concernant l'éducation d'un enfant et qu'on s'interroge sur l'influence de sa présence sur l'empreinte carbone de la famille. Qu'est-ce qui est le mieux : les couches en tissu lavables ou les couches jetables ? Les jouets fabriqués en Chine sont-ils sûrs ? Votre lait infantile est-il biologique ? Si vous achetez une nouvelle voiture, sera-t-elle hybride ? Être parent pour la première fois est assez stressant sans avoir en plus à avoir peur que votre bébé précipite le monde dans le chaos écologique. Heureusement, quelques mesures simples permettent de rendre votre nouvelle famille écologique ; les parents expérimentés, qui ont dû affronter ces décisions avec leur premier enfant, ont appris non seulement à les mettre en œuvre, mais aussi à les utiliser pour rendre la vie plus facile et plus économique.

TRUC DE PARENT RÉCIDIVISTE

Si vous ne faites pas encore de compost de jardin, c'est le bon moment pour commencer. Quand votre bébé va consommer des aliments solides, vous allez jeter beaucoup de restes alimentaires à tous les repas et pendant plusieurs années. Recyclez-les utilement !

Si vous êtes habités par une conscience écologique, créez un « plan vert » informel qui expose brièvement les dispositions que vous pouvez prendre pour incorporer en douceur le plus jeune membre dans l'empreinte carbone de la famille. Demandez des conseils à d'autres parents de sensibilité écologique. Surtout, rappelez-vous que tout effort, même minime, mérite d'être fait et soyez fiers de savoir que vous essayez d'améliorer le monde dans lequel votre enfant grandira. Voici quelques pistes de réflexion :

- **Les couches.** Oui, les couches jetables nuisent à l'environnement. Mais, de façon étonnante, les couches en tissu aussi. De nombreuses études soutiennent les deux thèses, opposant la décharge à la consommation d'eau et aux détergents chimiques. Quel que soit votre choix, votre bébé en utilisera beaucoup et elles ont un impact. Pensez à le contrebalancer par une réduction de votre propre production de déchets et par l'achat de la version la plus écologique du type de couche ou de la marque que vous choisissez. Vous pouvez également rechercher les nouvelles options sans chlore, biodégradables à 100 %.

- **La consommation d'eau.** Des études évaluent l'augmentation de consommation d'eau liée à un bébé à presque 400 litres par jour. Aïe ! Essayez de laver le linge du bébé en même temps que le vôtre, utilisez un Thermos pour conserver de l'eau chaude toute la journée sans ouvrir le robinet et rappelez-vous que le bain quotidien n'est pas nécessaire pour votre bout de chou – et notez que toutes ces habitudes respectueuses de l'environnement sont aussi des gains de temps pour vous.

- **L'ÉLECTRICITÉ.** Pensez à tous ces produits électroniques associés à un bébé et vous verrez tout de suite le compteur tourner. Envisagez d'utiliser des LED qui diffuseront une lumière douce dans la chambre du bébé. Ne forcez pas le chauffage ou la climatisation, car non seulement ils sont coûteux, mais peuvent aussi irriter les petits poumons. Trouvez d'autres solutions pour occuper votre bébé que des jouets et bidules branchés.

- **LA NOURRITURE.** Quand vient le temps des aliments solides, investissez dans une série de petites boîtes hermétiques pour éviter de jeter de la nourriture (et de l'argent). Les parents expérimentés savent qu'un bébé doit parfois goûter un aliment plusieurs fois avant de l'accepter et que sa consommation varie souvent largement. Procurez-vous également un silo à compost avec couvercle pour recycler les déchets et fertiliser votre jardin.

- **LES PRODUITS DE CONSOMMATION COURANTE.** Renseignez-vous sur les produits respectueux de l'environnement et cherchez en ligne ceux qui utilisent le moins de produits chimiques et d'énergie. Acheter moins de vêtements et d'accessoires textiles pour votre bébé, vous rendre dans les boutiques de dépôt-vente ou faire des échanges avec d'autres parents sont autant de solutions de réduction-réutilisation-recyclage qui participent à la préservation de la planète et de votre portefeuille.

VOTRE BÉBÉ VA ADORER

les « PERSONNAGES DÉPOSÉS »

Voici la dure réalité : vers l'âge de 1 an, votre bébé peut tomber profondément amoureux de Winnie l'Ourson ou de la fée Clochette, même si vous ne faites rien pour l'y encourager. En fait, ce lien mystérieux va se créer même si vous limitez strictement ses expositions à la télévision et ne lui donnez accès qu'à des jouets artisanaux et des livres cartonnés classiques.

La façon dont cela se produit est inexplicable, mais cela se produit. Posez la question à des parents expérimentés. Essayez comme vous pouvez d'éviter l'attaque des personnages de Dora ou Disney au moins jusqu'à l'âge des premiers pas ; parfois – on ne sait comment –, ils commencent à s'infiltrer très, très tôt. Quand vous devenez des parents, vous constatez soudain que ces personnages sont partout : sur les paquets de couches, les tasses évolutives et des kyrielles d'articles d'épicerie, des soupes aux macaronis. Ne vous étonnez pas de voir votre bébé s'exciter en essayant d'atteindre une boîte de biscuits Hello Kitty bien avant de savoir dire « maman ».

Inutile de préciser que ces visages familiers ont été soigneusement étudiés et conçus pour susciter une réaction positive, même chez les bébés. Et il est normal de capituler devant un personnage insupportable qui semble apporter une si grande joie à votre enfant, même si vous ne comprenez pas pourquoi ou n'appréciez pas. Après tout, tout au long de sa vie il y aura une multitude de choses qu'il trouvera irrésistibles et qui vous paraîtront ennuyeuses, hideuses, politiquement incorrectes, ou tout cela à la fois. Les seconds bébés sont endoctrinés encore plus tôt, grâce à leurs frères et sœurs plus âgés qui sont d'âge préscolaire, le meilleur moment pour ce genre de passion ; ainsi, notre numéro deux pouvait désigner chaque princesse de Disney par son nom dans les vieux livres de sa sœur aînée avant de savoir parler. Tant que vous n'êtes pas fortement opposé à ce qui charme votre bébé (par exemple, une poupée Bratz en minijupe), laissez faire. Ce n'est pas parce que vous lui offrirez des chaussures de Bob l'Éponge pour son premier anniversaire que vous soutiendrez un énorme empire commercial. Cela signifie seulement que vous êtes des parents et qu'une porte est maintenant ouverte sur le magasin de jouets et sur les caprices passionnés d'un enfant découvrant tout ce qui est coloré, chaleureux, familier et placé à hauteur d'yeux partout.

IL EST NORMAL DE LONGUEMENT MÛRIR l'idée d'avoir UN SECOND ENFANT

Inutile d'en dire plus. Mais rendez-vous compte à quel point ce sera plus facile la prochaine fois !

TABLE DES CONSEILS

REMERCIEMENTS

Les auteurs voudraient remercier du fond du cœur leurs amis et leurs familles et tous les camarades parents de tout le pays qui ont offert leur temps libre (extrêmement précieux) pour apporter à ce livre leurs points de vue et leur enthousiasme. Nous n'aurions pas pu le réaliser sans eux et nous avons aussi beaucoup appris.
Nous voulons également remercier nos deux filles qui ont inspiré ce livre et tant d'autres aventures et la merveilleuse communauté d'amis qu'elles ont introduite dans notre vie de famille.

Imprimé en Italie par Lego
Dépôt légal : août 2010
ISBN : 978-2-501-06640-2
4057378 / 02